他有坚忍沉默的性格，他有微微卷曲的幽黑发蓝的长发，他有一双幽黑深邃的闪动蓝色光芒的眼睛，他有一枚自出生就嵌在右耳中的蓝色宝石……

LIETUO RUGE

晨曦中。
她在溪边旋舞。
草尖上露珠被她的裙角飞扬成晶莹的薄雾。

玉自寒的眼睛，温和清澈，然而多了些以前从未有过的执拗……

烈火如歌

LIEHUORUGE

明晓溪◎著

新世界出版社

图书在版编目（CIP）数据

烈火如歌 I ／ 明晓溪著.—北京：新世界出版社，
2004.7
ISBN 7-80187-297-5

I.烈... Ⅱ.明... Ⅲ. 长篇小说－中国－当代
Ⅳ.I247.5

中国版本图书馆 CIP 数据核字（2004）第 063900 号

烈火如歌 I

策　　划：记忆坊图书
作　　者：明晓溪
责任编辑：吕晖　杨雪春
封面设计：80 零·小贾
出版发行：新世界出版社
社　　址：北京市西城区百万庄路 24 号（100037）
总编室电话：（010）68995424　（010）68326679（传真）
发行部电话：（010）68995968　（010）68998705（传真）
本社中文网址：www.nwp.com.cn
本社英文网址：www.newworld-press.com
本社电子信箱：nwpcn@public.bta.cn
版权部电子信箱：frank@nwp.com.cn
版权部电话：+86（10）68996306
印　　刷：北京朝阳印刷厂
经　　销：新华书店
开　　本：880x1230　1/32
字　　数：120 千　印张：9.5
版　　次：2007 年 1 月第 3 版　2007 年 1 月北京第 14 次印刷
书　　号：ISBN 7-80187-297-5/I·126
定　　价：20.00 元

FOREWORD
序

　　算了算，忽然发觉距离全部写完《烈火如歌》已经有三年多的时间了，不由得感叹光阴如箭啊。

　　《烈火如歌》这个故事，是我目前所有故事里写得最辛苦的一个。故事的架构太过庞大，人物众多，线索复杂，写《烈火如歌 I》的时候还勉强能够驾驭，但是到了《烈火如歌 II》，无数的线头无数的伏笔需要交代，而当时的我并不具备那个功力，痛苦得恨不能用手指甲去抓墙。

　　而且，笨笨的我居然需要写很多智谋诡计之类的东西，真是……真是想要吐血啊……

　　记得有个朋友跟我开玩笑，说，晓溪啊，你知道为什么《烈火如歌》写得如此艰难吗？我说，为什么？她说，因为《烈火如歌》是火，你是晓溪，是水，所谓水火相克……

　　>_<

　　《烈火如歌 II》足足写了有将近十个月的时间，那段日子不堪回首，无数次地想要放弃，又每次终究因为不舍得故事里的人物，终于重新动笔。

　　有很长一段时间，很多读者觉得《烈火如歌》是我作品里面最出色的，也总是喜欢问我说，我自己是不是最钟爱《烈火如歌》这个故事。

　　我的回答总是否定的。

因为……

>_<

写得太辛苦了……

那种写作时的痛苦和煎熬永远无法忘记。也是因为写《烈火如歌》，让我感觉到写作的功力必须要大幅度地提高，以后必须要刻苦加油地练习，才能胜任写这样的故事。

呵呵，虽然我自己对《烈火如歌》有很多不满意的地方，但是我知道，有非常多的读者在我所有的作品里，一直最喜欢它。

或许是因为雪的缘故吧……

我也很喜欢很喜欢雪。最初其实并没有想要给雪很多的戏份，他只是一个配角，但是写着写着，无法自拔地喜欢上了他。他的可爱、他的撒娇、他的痴情、他的泪水……

有一次，一个朋友问我，如歌究竟爱不爱雪呢？

我想了想，说，不爱。

朋友说，你错了，如歌爱雪，只是她自己没有察觉，不知道而已。

我说，我是作者，怎么会错。

她说，你写的时候可能是设定的如歌并不爱雪，但是在你的笔下，也许是你的潜意识，也许你自己都没有发现，你已经写得让如歌爱上了雪。

我很吃惊。

然后又重新回头去看自己写的那个故事。

后来，也看到一个读者在文后留下的一篇长长的书评。她告诉我，或许作者自己也没有发现，但是如歌早已真正爱上了雪。

是这样吗……

也许是的，因为我自己也是那么喜欢雪。也许不是，但是同

一个故事在每个读者心目中的感觉往往差异很大。

好在结局很好。

:)

无论有多少人批评质疑我的结局，可是直到今天，我还是要说，那个结局真的非常非常非常幸福:)

如果你没有看懂那个结局，就重新再研究一下。如果你觉得这样的结局无法接受，那么就换一个角度去考虑吧。

总之，是一个超圆满的结局。

呵呵～～

我得意地笑～～～

好像有砖头飞过来，戴上头盔，继续得意地笑～～～～

编辑告诉我《烈火如歌》即将改版，很开心，也感谢编辑在它三岁多的时候给它穿上一身漂亮的新衣服！

希望大家能够支持和喜欢《烈火如歌》～～～

亲～～～

晓溪

2006年12月12日夜

CHAPTER 1
LIEHUO RUGE I

洛阳。

品花楼。

花大娘翘起兰花指，拈起一串晶莹剔透的葡萄，闲闲地对面前的五个小丫头说道：

"你们为什么想进咱们品花楼啊？"

清秀的小丫头香儿"扑通"一声跪在地上，泪眼哭诉道："我娘前日突然染上恶疾，不治身亡……家道贫寒无钱下葬……求求您收下我吧，我什么都能做……只要能葬了我娘，让我做什么都愿意！"

花大娘目光一扫，见另外三个小丫头皆眼中含泪，神情凄楚，想必都是因为环境所逼，不得已才想到卖身品花楼。不过，她们中却有一个红衣小姑娘滴溜溜睁着黑白分明的大眼睛，笑吟

吟地望着她。她心下奇怪，这小丫头看起来皮光肉滑，没吃过丁点儿苦的样子，纯净娇憨得像一朵溪边的小花儿，跟以往的姑娘丫环们很是不同。

"你说。"花大娘玉手一指，点中红衣小丫头。

红衣小丫头笑靥如花，欢快地答道：

"我是因为景仰。"

"景仰？！"

"对呀！品花楼被誉为天下第一楼，名气之大无人可比。凡是成功的生意必有其可取之处，所以我不远千里来到这儿，希望您可以接受我的加入！"

"咳！"花大娘险些被葡萄噎住，抚住胸口呛咳起来。

红衣小丫头赶忙走到她身后，不轻不重地帮她捶着后背，清脆地笑道："这会儿一见到大娘您，就晓得为什么品花楼可以名满天下了。"

花大娘怔住："为什么？"

"您气质高雅、美丽而不浮华、端庄而不刻板，有像您这样的人掌管品花楼，想不成功都不可能呢。"

花大娘忍不住笑出来："我只是在这儿管丫头小厮，不是什么主事的人。"

红衣小丫头惊诧道："不会吧！大娘您这等人物都肯屈就，可见品花楼果真藏龙卧虎，不容小觑！"

花大娘摆手笑道："你这个小丫头一张嘴真能甜出蜜来，好了好了，就收下你吧……碧儿，去支一两银子给她。"

婢女碧儿应声退下。

"对了，你的名字是……"

红衣小丫头笑脸盈盈："我叫做如歌。"

"如歌？"花大娘沉吟道，"日后在这里你就叫歌儿好了。"

"多谢大娘！不过……"如歌望着其他四个小丫头，欲言又止。

"说吧。"

"大娘您只要我吗？她们几个看起来也很需要这份活儿。"跪在地上的香儿泪如雨下，神情好不可怜，让如歌心里有种罪恶感。

花大娘冷淡道："品花楼是客人开心的地方，如果丫头们整日里拉长着脸哭哭啼啼，像什么样子。"

如歌向香儿使个眼色，微笑道："大娘，香儿姐姐也是因为刚丧母的缘故才会心情极差，过几日等她母亲下葬后自然会好起来。而且香儿姐姐又漂亮又念情，一定会是大娘您的好帮手的。香儿姐姐，是不是呀？"

香儿先前在集市已经卖身葬母好几日，却都没有找到买主，眼见母亲的后事不能再拖，只剩下入品花楼为婢这一条出路了，哪里还容得她多想，连声答道："是！是！"

花大娘挑起眉毛，斜斜望住双手合十做祈求状的如歌。这个小丫头，还蛮有意思的！

*** ***

洛阳品花楼。

天下第一楼。

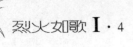

　　品花楼的酒好，上至皇亲贵族们享用的名酒，下到乡村山野里不知名的小酒，只要您想尝一尝，保管能喝得醉醺醺轻飘飘，好似神仙。

　　品花楼的菜好，无论是山珍海味，还是家常小菜，都好吃得让您想把舌头吞下去。

　　但品花楼最吸引人的却是它的人。

　　美人。

　　令人销魂蚀骨的美人。

　　有风骚入骨型的美女，有清雅高贵型的美女，有纯洁娇羞型的美女，有单纯憨直型的美女，还有最近最流行的野蛮率直型的美女。

　　总之，只要您来到品花楼，总有一款适合您！如果不满意，包退包换，直到您满意为止！

　　呵呵，请不要误解，品花楼并不是一间普通的妓院。

　　它是——

　　这么说吧，它是一家中介机构。所有到这里挂牌的姑娘都是来去自由的，可以自由地定下身价，可以自由地选择客人，可以自由地选择时间，可以自由地选择"服务"内容。当然，品花楼也要赢利的嘛，所以每位姑娘每月都要交一定的场面租金。（这笔钱并不多，这样才能吸引到更多"优质"的美女。）

　　那么，品花楼靠什么赚得滚滚的黄金白银呢？

　　对了！酒菜。

　　凡是来这里的客人，哪有干坐着看姑娘的。谁人不点上几个菜，喝上一壶酒，在心爱的美人面前，不显得大方阔气一点，怎么能赢得芳心呢？大家都知道，这酒菜的利润是最大的。

如歌对想出品花楼这种赚钱方式的人佩服极了。可惜品花楼的幕后大老板是谁，却仿佛是个谜，她一直无缘得见。可惜呀，可惜。

如歌边端着冰糖燕窝羹向风阁走，边摇头惋惜。

突然，一个纤纤弱影出现在她面前。

如歌抬头一看，惊喜道："香儿姐姐，是你啊，这几天还好吗？"

香儿柔婉地微笑，笑容中有说不尽的感激："我娘已经葬下，事情办得很体面。"

"那太好了，姐姐你终于可以安心了！"

"歌儿妹妹，谢谢你。"香儿望着她，"可是，你把你卖身的银子全借给我，真的没关系吗？我……"

如歌连忙摆手："没关系，没关系，姐姐你安心用掉好了！我不需要这些银子，也用不着。如果姐姐觉得这些银子不够，我还可以再拿一些给你……"

"不用了。忙完我娘的后事，我也没什么可用钱的地方了。"香儿郑重道，"妹妹，银子我一定会还给你的。"

如歌想告诉她不用还，但心下一想，知道外柔内刚的香儿现在还不会接受她的好意，于是只是笑了笑，岔开话题。

"香儿姐姐，花大娘安排你服侍凤凰姑娘是吗？"如歌好奇道，"听说凤凰姑娘的性子很是骄横，你会不会吃苦啊？"

香儿低下头，半晌没有答话。

如歌盯着她看，慢慢地，眉头皱起来。她放下手中的托盘，走近香儿，细细打量她的脖子，倒抽一口凉气，惊道："你的脖子上怎会有伤？！好像是让人用指甲挖出来的！"

　　香儿慌忙捂住伤痕，眼神凄楚道："没有，是我自己不小心抓到的。"

　　"你说谎哦。"如歌嘟起小嘴，"为什么要骗我呢？咱们不是好姐妹吗？"

　　"我……"

　　如歌拍拍她的肩膀："有什么事记得告诉我，虽然我只是个小丫头，但是多个人出出主意总是好的。"

　　香儿泫然欲泣，沉默良久，终于轻轻点头。

＊＊＊　　＊＊＊

　　风阁。

　　窗外春日和暖，杨柳青青。

　　窗内美人如玉，对镜梳妆。

　　如歌从珠宝匣中挑出一支素净的宝蓝珠钗，斜斜插在风细细的云鬓上，配着她一身粉蓝色轻纱软裙，清雅简洁得就如不食人间烟火的仙子。

　　风细细满意地左瞧右看，喜得合不拢嘴："歌儿，你真是好手艺，把我打扮得好漂亮！最近客人们都说我好像变了个人，比以前美上七八分呢！"

　　"小姐就是爱说笑，"如歌笑吟吟道，"你本来就是美人啊，越来越美丽是很自然的啊，跟我有什么关系。"

　　"呸，小丫头，嘴巴甜死人不偿命！"风细细喜不自禁，媚眼如丝向她飞过来。

　　如歌将玉碗端起，道："小姐，喝点冰糖燕窝羹，可以美容养颜。"

风细细接过来，有些犹豫："可是，会不会长胖呢？别的姑娘都好纤细好苗条，我似乎有些太丰满了。"

如歌睁大眼睛，吃惊道："你这样就叫丰满？"她不赞同地摇头，"我却觉得小姐的身材匀称，甚至有点偏瘦呢。楼里的确有些姑娘很苗条很苗条，就像幽兰姑娘。可是你难道不会觉得她因为太瘦了，所以脸色暗黄无光，搽再多的粉整个人也亮不起来，不好看啊。身体好一些，气色就会好很多，人也会漂亮十分！更何况，身体健健康康的，这一辈子才能享福呢！"

风细细听着她这番话，胸口突然一热，入行几年早已变得有些麻木的心，因为有人的关怀而温暖感动起来。她静静地喝下冰糖燕窝羹，抬起头，对如歌笑道：

"有机会我一定要谢谢花大娘。"

"……"

"谢谢她派给我这么一个贴心的丫头。"她拉住如歌的手，笑容如春风中的桃花，"我很喜欢你，歌儿。"

如歌眨眨眼睛，顽皮地笑道："小姐，我也很喜欢你，你对我很和气很亲切，能跟在你身边是我的福气。"

杨柳随风起舞。

风细细背靠雕花木窗，握住如歌的手，良久没有松开。

她仔细凝视着这个突然来到自己身边的丫头，思考着些什么，终于，她轻声道：

"歌儿，你知道吗，我并不想做一辈子青楼女子。"

如歌点头。

风细细将她的手更加握紧些，道："所以，你帮我好吗？"

"……"

风细细看向窗外湛蓝的天空：

"帮助我，坐进品花楼排行榜的前三甲！"

    *** ***

品花楼大堂。

在最显眼处高高悬挂着一张纯金打造的大榜，金光灿灿，吸引着每个进入的客人驻足仰望。

这就是品花楼的"绝色名花排行榜"。

从上往下依次是品花楼当月最受欢迎十大名花的座次。

这会儿还不到迎客的时候，只有身着红色衣裳的如歌，在金榜下，仰着脑袋，边看边赞叹！

精彩！

绝妙！

如歌猜测究竟是个怎样的天才想出的这个好主意。

世上的人都有种奇妙的心理，越是众人追捧的名花，越是想摘下来赏一赏。更何况在品花楼这种名满天下的青楼里，能够位列三甲，当然就有了睥睨群芳的地位。谁不想一睹芳容？所以，每次品花楼"绝色名花榜"榜单的上排在前几位的姑娘的价码都是高得让人目瞪口呆。

并且，在排行榜的刺激和排行名次带来的利益驱动下，各位姑娘也拼了命地出尽百宝，争奇斗妍，谁也不敢怠慢分毫。（因为排行榜的座次可是每月一变哦，稍有不慎便可能连降几名，甚至掉下榜来。)

姑娘们在竞争中自然出落得越来越美丽，上榜名花们的水准自然越来越高，客人们自然越来越趋之若鹜，品花楼的生意自然越来越好！

"棒极了！天才！"

如歌赞不绝口，脑袋瓜子都快点到地上了。

"你这丫头在做什么？"

花大娘从偏厅出来就看见如歌一个人在呆呆地傻笑。

"花大娘好！"如歌转身对她行礼，然后继续端详金榜，询问道，"大娘，是谁想出来做这张排行榜的？"

"大老板。"

"大老板？！"如歌眼睛一亮，扯住大娘的袖子，连声问，"大老板究竟是谁啊？为什么每个人都不肯说？"

花大娘出神地仰望金榜，半晌才道："不是不肯说，而是不知道。"

"啊？这么神秘？"如歌很失望。

"你个死丫头，问这么多做什么？！"花大娘狠狠地瞪如歌一眼，转身要走。奇怪了，她怎么不知不觉跟个小丫头说起这些。

如歌急忙又扯住她的袖子："大娘，别走，我还有话想问您呢！"

"没空儿！"

"大娘最好了……"如歌软声央求。

花大娘深吸一口气，终究硬不下心肠。

"说吧。"

如歌满脸堆笑："请问大娘，这'绝色名花排行榜'的名次，具

体是怎么排出来的？"

"姿色、服务和人气。"

"哦……"如歌恍然大悟，拍手道，"有道理，有道理……不过，不对呀……"她有了新的疑问。

"哪里不对？"

"所谓各花入各眼，我们小姐本月排行第七，但是她的容貌并不比排行第五的紫蜻蜓姑娘逊色啊，甚至我觉得她比排行第三的幽兰姑娘还漂亮些呢，燕瘦环肥，谁更美貌的标准怕是很难判断吧。再说到服务，排行第四的凤凰姑娘动辄对客人破口大骂，语言尖刻难听，怎么也不该排到我们小姐上面啊？"

花大娘笑道："这你就不懂了。当下最流行野蛮泼辣的调调，凤凰这样的小野猫偏偏对上了很多客人的胃口，不服都不行。"

"啊？这样？"

原来每个行业都要紧紧把握住流行的脉搏啊。

"不过，你说的也不错，"花大娘赞许地看着她，"姿色和服务的优劣很难公正地评判，所以这张榜主要依据的是人气。"

"人气？"

"对。而且这个人气不仅仅指谁的客人多，更重要的是看客人身份地位的高低。就像曲悠悠，她能坐上第六的位子，是因为一个月前刘尚书看上了她她才窜得这么快。明白了吗？"

如歌眨眨眼，展开笑容。

原来如此！

看来要帮助风细细打进三甲，只靠装扮得出众些是不够的，必须要找到有分量的客人才是捷径！

下一个问题——

到哪里去找有分量的客人呢？

如歌开始头痛。

*** ***

正月初一。

刚入夜。

品花楼却暗暗涌动着一股不寻常的气息。

风阁。

如歌细心地为风细细笼上面纱，好奇地问道："小姐，你觉不觉得最近几天有点不太对劲？"

风细细绝美的容貌被烟雾似的白纱遮住，如梦如幻，神秘而诱人。

她欣赏着铜镜中的自己，漫不经心道："每个月都是如此，凡到初一十五，楼里的很多姑娘和她们的丫头都会变得像贼一样，四处偷听偷看，想打探出别人的方法。"

如歌更加好奇："方法？什么方法？"

"自然是吸引男人的方法。"风细细瞟她一眼，见她仍是不太明白的样子，便耐心解释道，"品花楼每逢初一十五，客人是最多最集中的时候，也是姑娘们展示自己容貌、才情的最好时机。只要能把握住这个机会，做到引人注目，身价和名气会有很大的提升。如果再能趁此良机吸引到一两位身份高贵的客人，就可以飞上枝头，笑傲群芳了。"

如歌恍然大悟："是这样啊。我明白了！所以各位姑娘都想知道别人作什么装扮，是否比自己更出色，想尽一切办法，要在今晚压倒众花，钓得最炙手可热的客人！"那么，她应该就不用再烦

心如何找来有分量的客人来抬高风细细的地位了吧。

太好了!

她松下一口气。

可是——

"怎样才能吸引到客人呢?"

她虚心求教。

风细细苦笑:"这就是最困难的地方。"

如歌竖起耳朵,认真去听。

"男人心,海底针,真的是很难琢磨。"

叹息声悠悠传来……

咦? 这句话一般是用来说女人的呀,男人也是这样吗?

"每个客人喜欢的口味都不一样,有喜欢娇羞些的,有喜欢放荡些的,有喜欢冷漠些的……但是,你每次出场却只能作一种打扮,就好像赌博押宝一样,运气好就压上了,运气不好就只能眼巴巴看着好客人被其他姑娘抢走。"

"那怎么办?"

"也只有赌了。"

风细细忽然一笑:"不过,要赌也不能毫无准备地去赌,我做了些功课。"

"……"

"今晚最引人注目的一位客人,应该是——"

如歌睁大眼睛,等她继续。

风细细轻抚自己白纱下如烟如雾的美丽面庞,低声道:

"天下无刀城的少主,刀——无——暇。"

刀无暇?

只听名字就让人觉得一定是个精彩的人物。

风细细沉吟道："素闻刀无暇品行高尚，应该不会喜欢烟视媚行的女子，但是一味的高贵矜持，又怕他见得多了不再稀奇。所以，我今天这身装扮，歌儿你看是否合适？"

如歌打量风细细。

她一袭软绸白裳，配轻透白纱，发髻高挽，简约无华，只斜插一枝羊脂白玉钗，风姿绰约，如朝雾中的清丽仙子。

"小姐，你真是美得让人惊叹！"如歌赞美道，接着，又不解地问，"可是，为什么要用白纱把脸遮住呢？"

风细细嘲弄地笑："男人生性很贱，越是朦朦胧胧令他看不清你的容貌，他就越想看。我想，这刀无暇应该也不例外。"

是吗？男人生性很贱？！

如歌震撼中，说不出话。

然而，这会子她忽然也觉得风细细的面容在白纱笼罩下，像雾中芍药，若隐若现，又是美丽，又是逗人想一探究竟，真真勾人心魄！

风细细见如歌痴痴地望着自己，心中不禁得意，拍拍她的脑袋，道：

"时间不早，咱们该出场了。"

"是。"如歌应道。突然，她又有个疑问，脱口而出：

"小姐，为什么每到初一十五客人就会特别多呢？"

*** ***

品花楼大堂正中有一方青竹搭成的阁台。

青竹为栏，幔帘轻垂，古雅香炉，袅袅沁静之香，竟似能压倒满楼的酒菜之气，让人的心因之明亮起来。

一张青竹琴案。

一张古琴。

白衣男子长身而坐，静然抚琴。

琴声淙淙。

如高山中穿流而出的小溪，清澈见底，水波清亮，溪底的鹅卵石在闪闪发光，仿佛每一个石子都有它小小的欢乐、小小的忧伤……

品花楼所有的客人皆寂静无语。

客人们的目光皆集中在那白衣男子身上，如痴如醉，身陷在他的琴声中不能自己，好像坠入了一个如诗的幻境中。

如歌这才明白。

她先前一直奇怪，为什么大堂中搭着一个竹台，白白占了很多空间，却没有任何用处。原来，这竹台是为这白衣男子特意留着的，不容他人使用。又原来，白衣男子只有初一十五才来这里献艺，所以每月的这两天品花楼的人气最旺。

他——

难道就是传说中的琴圣？

只可惜，以如歌所在的位置只能看到白衣男子的背影，无法看到他的容貌。但就算是背影，也显得涤然出尘、雅洁如仙。

风细细告诉她，他的名字叫有琴泓。

而劝说有琴泓，正是如歌必须要面临的一项任务。这个任务，自然是风细细交给她的。只许成功，不许失败。这也是风细细对她的要求。

可是，看着白衣男子的背影，如歌心中忽然打起了鼓。

客人们聚精会神地聆听有琴泓的琴曲。

品花楼的姑娘们却在暗自打量堂内的客人。

大堂内共有三十六张桌子。

其中九张极品紫檀木红漆大圆桌，二十七张上好雕花方桌。每张紫檀木圆桌由一个小厮加一个丫头伺候，每张雕花方桌只由一个小厮伺候。订下一张紫檀木圆桌的银子，比订一张雕花方桌的银子要多上十倍。而且如果只有钱而地位声势不足，任你出再多的银子，品花楼宁可紫檀木桌子空着，也不会让你坐上它。

够资格坐上紫檀木桌的客人，财富和身份毋庸置疑。

所以品花楼姑娘们的眼睛绝大部分集中在九张紫檀木桌的客人身上。

尤其是最接近青竹阁台的一张。

那张桌有三个人。

在进场前，风细细大致告诉过如歌他们的名字和特征。

最让人瞩目的是一个年轻男子，他锦衣玉带，金冠束发，面如冠玉，相貌英挺，气宇轩昂。应该就是本场的热点——

刀无暇。

还不错，如歌点头。

天下无刀城是江湖中仅次于烈火山庄的一大门派，隐然有坐二望一的声势。刀无暇是天下无刀的少主，未来的城主，武功堪称少侠一辈的翘楚，再加上相貌不凡，清誉不俗，成为众花今晚竞逐的重心亦在情理之中。

刀无暇右手边是一个年纪更轻些的男子，他体态微胖，面容白皙，眼神却有些阴暗。他应该是刀无暇的胞弟刀无痕。奇怪，兄弟两个相貌上怎么会相差如此多。

如歌看向刀无暇的左手——

哈，那是个女子。

原则上品花楼是不欢迎女性客人的，然而，如果这个女子身份很"高贵"，或者带她进来的人身份很"高贵"，还是可以通融的。（什么？有人问"高贵"的标准？自己去想好了。）

她的名字好像是——刀冽香，天下无刀城主惟一的女儿。

刀冽香长得不是十分柔媚，五官线条较硬朗，眉宇间一股英气。她没有在仔细听有琴泓的弹奏，只是端起酒杯，安静地独酌。

好，观察完毕。

如歌收回目光，看一看身前坐姿优雅的风细细，暗自希望她今晚能一切顺利，得偿心愿。

不对！

如歌忽然间觉得自己错过了什么，猛抬头，向大堂的一角看去！

普通的雕花方桌。

上面只摆着三道普通的小菜，没有酒，菜没有动过。

桌旁两个人。

一个年约二十七八岁的男子，黑衣，淡眉，眼睛细而狭长，神态恭谨地站在另一个男子身后。

那是个玉一般的男子。

一身青色布衣，二十二三岁，容貌清俊，双目温润如莹玉，眉宇间似有淡淡的光华，初看并不打眼，然而细品下去，却如着迷一样，让人舍不得挪开视线。

青衣男子却是坐在一辆木轮椅上，双腿似有残疾。他的双手放在腿上，干净整洁，左手上有一枚羊脂白玉扳指，雕着花纹，因为离得远，看不大清楚。

如歌望过去的时候，青衣男子也正在看她。

两人的目光穿越过宾客满座的大堂。

碰撞！

青衣男子微笑。

笑容如蕴有日月灵气的美玉，淡雅而润泽，一直撞进如歌的胸口！

如歌像受惊的小鹿，急急低下脑袋，不敢再看他，但心中已是慌乱成一团，一时间忘却了自己身在何处。

青竹琴台。

有琴泓宽袖轻扬，一曲终了。

余音缭绕片刻后，满堂宾客才好似从幻境中缓缓清醒，喝彩声、赞叹声像浪潮一样荡起，气氛达到了高潮。

如歌却还没有从见到青衣男子的震撼中缓过气来。

有琴泓退场。

如歌仍在发怔。

风细细有些着急，偷偷回过手，拽拽她的衣角。

如歌眨眨眼睛，哎呀，差点忘了自己还身负重任。她连忙向风细细比个放心的手势，转身离开了大堂。

***　　***

新月如眉。

繁星点点。

品花楼的后花园中，山水亭阁显得出奇的宁静，似乎同大堂内的热闹喧嚣是完全不同的两个世界。

月光下。

如歌对着前方的白色清影，提高声音喊道："有琴先生，请您等等。"

那白衣背影略微慢些，却未停下脚步。

如歌只恐被他走掉，连忙拉高裙子，一路快跑追上去，边跑边喊："有琴先生，等等我，有事情请您帮忙！"

有琴泓眉头微蹙，只觉有一团火焰向他冲过来，上气不接下气地拦在他面前，黑白分明的大眼睛眨呀眨地盯着他看。

原来是个红衣裳的小姑娘。

晶莹剔透的小脸儿，讨好的笑容，清脆的声音："有琴先生好！"

如歌笑吟吟地瞅着有琴泓。

他很清瘦，眉头好像很习惯皱起来，已经有了浅浅的褶纹。他的目光疏离，像是不喜欢别人的打扰。他站在那里，像一泓被世人遗忘千万年的泉水，无波无痕，无爱无恨。

"有琴先生，我是品花楼的丫头，我叫做歌儿。"

"不认识。"

"呵呵，现在不就认识了吗？"她笑得纯净无邪。

"走开。"

如歌的笑容垮下，沮丧道："先生，你难道不晓得跟陌生人说话是很需要勇气的吗？你这样冷冰冰的，会非常打击我以后跟人交往的信心。"

"与我无关。"对品花楼的姑娘丫头来说，每日里接待的不都是"陌生人"吗？这小丫头说什么笑话？

"我是新来的。"如歌挤出"惨兮兮"的表情，希望能争取到他的同情。不过，好像没什么用。

那么，她决定单刀直入——

"我们小姐请您为她伴曲。"

是啦，这就是风细细的"完美"计划。

风细细擅长舞蹈，曾有才子题诗，赞她舞姿优美如"清风扶弱柳，彩蝶戏芙蓉"。今晚这种场合，她自然要舞上一曲来吸引众客目光了。只是，在品花楼舞艺出众的并不只有她一人，薄荷姑娘、紫蜻蜓姑娘和香桃姑娘也甚为出色。要拔得头筹，就必须要出奇招！

让有琴泓为她伴曲！

世人皆知，有琴泓孤傲清高，向来不肯为人作和。如果能说动他，请他帮忙，风细细就可以趁着他的声名，成为全场最瞩目的亮点。

不过，要说动有琴泓是一件万分困难的事情。

如歌与有琴泓站在后花园中。

从大堂方向忽然飘来一阵丝竹之声，有女子婉转低回地歌唱，曲意缠绵，撩人心脾。

她知道，现在品花楼内众姑娘间的争才斗艺、展现才貌的角

逐已经开始了。风细细肯定在等她的好消息。所以，她必须成功！

她低声央求："拜托了，有琴先生，为我们小姐弹奏一段曲子吧，不用很长，很快就可以结束的！"

"做梦。"他绕过她便欲离去。

如歌一把抓住他的胳膊，急道：

"请你答应我！"

她的手心很热，透过衣衫，熨在他右臂的臂弯。

有琴泓微怔。

然后，甩开她，怒道："放肆！"

"好不好，答应我嘛。"如歌吐吐舌头，将双手背在身后，不屈不挠地继续做工作。

有琴泓心下一阵烦乱。

她明明已经松开手了，为何他还是觉得臂弯处火烫烫一片，像是被她留下了烙印。

"只要你答应我，我可以实现你一个心愿哦。"

月光柔和地洒下来，如歌笑得像个精灵古怪的仙女，好像在郑重地等待他许愿。

"我没有愿望。"

"不可能。每个人都会有心愿的。你肯定也会有。"

有琴泓冷笑。

"即使有，你也实现不了。"

如歌小小地可爱地微笑：

"那可不一定。你千万不要小看世上任何一个人，每一个人的能量都可能是无穷的。"

"成交吗？"

*** ***

如歌一只脚刚踏回品花楼，眼珠子就险些掉出来。

天哪，百合姑娘在做什么？！

只见百合粉脸含春，杏眼微眯，丹唇微启，一袭娇黄薄纱绸裙慵懒地半褪着，飘坠在地板上。她的粉肩赤裸，胸襟敞开，艳黄色的抹胸清晰可见，娇白的乳沟诱人地颤抖。

这，难道就是风细细告诉过她，而她却还无缘一见的"脱衣舞"？！

如歌睁大眼睛，看得呼吸都快停止了。

百合媚惑翩舞着，纤纤细腰摇摆如水中灵鱼，一手轻褪着所剩无多的衣裳，一手轻抚着酥乳般的胸口，伴着乐师们的曲子，一路向刀无暇三人的桌子行去！

如歌站回风细细身后，低声道：

"办好了。"

风细细点头，轻道："先看戏吧。"

百合翩翩旋舞如九天飞花，忽然，又如断翅的蝴蝶，失魂般

跌落在刀无暇的身上。

品花楼一阵惊叹！

几乎所有的客人都用艳羡的目光盯着刀无暇，恨不得把自己换作他，好一饱如此艳福。

但——

刀无暇面容一板，眉头紧皱，"嚯"的一声立起，硬生生将百合甩倒在了地上！

"啊！"

很多客人惊得站起来，不会吧，这样糟蹋美人儿。

"蠢货。"

风细细轻不可闻地冷笑。

如歌知道她的意思。在这样大庭广众的场合，天下无刀城又素讲体面规矩，百合想用近乎淫荡的脱衣舞来引诱刀无暇，是不可能会成功的。

也许，这也是百合在赌呢？以百合的姿色，在品花楼顶多中等偏上，排名一直徘徊在二十名上下，要想出名，只能一搏了。成者王侯败者贼。可惜，百合失败了。于是，她成了蠢货。

百合却仍在媚笑，灵蛇一般又扑在了刀无暇的身上，白葱似的指尖儿爱抚着他的大腿，缓缓地、柔媚地向上游走。

朱唇呢喃道："刀公子……"

她既然已经赌了，就要彻底赌上一把！

另一边。

如歌望着仍在努力争取的百合，心中忽然一阵凄然。

她想到了远方的一个少年。

那个少年有着幽黑发蓝的卷发，幽黑发蓝的眼睛，右耳有幽蓝的宝石。她忽然很想知道，在她离开的这段日子里，他可曾想念过她。

无意识地，她又去看那个青衣男子。

青衣男子正在凝视她。

他似乎一直在凝视她，眼底有淡淡的担忧。

这次，刀无暇没有动。

动的是刀冽香！

她一把揪起百合的长发，举手两个耳光打在她的脸上，百合的脸颊顿时肿起来，血丝顺着嘴角流出！

"贱人！"刀冽香冷喝，"你很喜欢脱衣服勾引男人对不对？好，姑奶奶今天就让你脱个干净！"

"刷——"

百合的衣裳被刀冽香扯成碎片，顷刻间，只剩下艳黄的抹胸和底裤！

"不！"

百合惊恐地蜷缩起赤裸的身子，嫩白的娇躯在春日的夜里瑟瑟发抖。

刀冽香冷哼："还有些零碎，一并脱了吧！"

伸手向百合的抹胸抓去！

如歌只觉有一口热血向喉咙冲去！

握紧拳头便要急喝——

空中飞起一件黑色衣裳。

轻飘飘越过众人头顶，罩在颤抖恐惧的百合身上。

百合像抓住救命稻草一样,用它紧紧裹住全身,泪水,疯涌在黑色的衣襟上。

刀冽香震怒!

凤目圆睁向大堂右边角落瞪去,见一淡眉细目男子仅着中衣,神情不卑不亢,百合身上的黑衣显是他掷来的,不禁怒喝道:"你好大的胆子——"

"妹子!"

刀无痕却突然止住她的呵斥,白胖的脸上露出吃惊的神情,向刀无暇递了个眼色。

电光火石间,他已认出了那淡眉细目的男子正是玄璜!

玄璜并不可怕。

可怕的是烈火山庄。

当今世上,所有人都听过一句话。

人间烈火,冥界暗河。

烈火山庄稳坐白道的第一把交椅,暗河组织则是绿林黑道的龙头,两股势力明争暗斗数年,发生大小战役七十八起,双方共死亡七百二十六人,伤一千九百一十八人,失踪一百四十五人。

然而,十九年前暗河组织却忽然好像人间蒸发一般,再无任何动静和消息,一夜间在江湖绝迹。

烈火山庄从此也再没有对手。

几年后,烈火山庄就等于天下武林。

烈火山庄庄主烈明镜共有三个弟子。

其中二弟子玉自寒,甚少在江湖上行走,识得他的人很少,天下无刀城的鸽组收集到的他的相关资料并不多。

玉自寒，二十二岁，自幼双耳失聪，双腿残疾，常穿青衫，容貌温润如玉，左手一枚羊脂白玉扳指。相传他有六个随仆，青圭、赤璋、白琥、玄璜、黄琮、苍璧，其中，玄璜与黄琮为世人所多见。

刀无痕正是认出了玄璜。

***　　***

品花楼。

静悄悄。

乐师忘记了奏乐。

宾客忘记了呼吸。

他们或兴奋或好奇或担心地等待着情势的变化。

刀无暇一振锦袍，玉面露出喜容，几个大步便行到那雕花木桌前，对木轮椅中的青衣清俊男子，一揖到地，朗声恭敬道：

"天下无刀城刀无暇见过玉公子！"

话音未落，他便觉不妥，这玉自寒是个聋子，如何听得到他说些什么，恐有不敬之嫌。但如何与聋子沟通，一时间又想不出好法子，竟有些怔在那里。

这时，一股柔和如春风的力道轻轻将他的身子托起，刀无暇不敢违逆，顺着这股力道抬起头来。

玉自寒的双目。

恬淡而安适，像灵山秀水间沉静的温玉。

玄璜道："刀公子，说话时请面对我家少爷，少爷自会知道你在说什么。"说着，他从怀中掏出一方纸和一支做工精细的碳笔，摆到桌上。

刀无暇心道，莫非玉自寒习得唇语，能从口型知晓话语内容，这倒须小心了。边想，他边对玉自寒抱拳连声致歉："在下小妹年少气盛，行事不知轻重，让玉公子见笑了，回去必当严加管教。"

玉自寒在纸上淡如轻烟般写道：

"令妹天真，不必多责。"

刀无暇松口气，道："是。"

玄璜道："这青楼女子举止放荡，确有失礼之处，刀姑娘看不下去亦在情理之中。但凡事应适可而止。"

刀无暇道："多谢教诲。"

玉自寒微微摇头，叫他不必如此客气。

这边，风细细暗想，这位玉公子不知何方神圣，竟能使得名震天下的无暇公子如此谦恭以待。只可惜，这秀玉般的人儿竟似又聋又哑又残，可见上天是见不得人完美的。

如歌却一直注意着被众人遗忘的百合。

百合彻底失败了，她娇艳的脸庞上满是狼狈的泪渍，十指死死抓紧身上的黑色衣裳，一个劲儿不住地颤抖。终于，她从地上爬起来，踉跄着要离开这个带给她羞辱的地方，没有人看她，她希望能静悄悄地退场。

她低下头，咬紧牙，不想看见楼里其他姑娘嘲讽的表情。但是，当她经过时，依然听到了香桃的讥笑、曲悠悠的冷哼、薄荷飞白眼的动静、柳絮唾口水的声音……忽然，一只脚凭空横出来，绊在她的身前！

百合慌乱间哪里来得及去躲闪，左腿一弯，身子失去平衡就往地上跌。她伸手想去抓住什么，却又被人推了一把，惊慌中忙抬眼，一张跋扈得意的脸，是凤凰。平日里她与她井水不犯河水，为何要落井下石？！

百合止不住坠跌的势头，身子摔下去。她闭上眼睛，胸中一片阴冷漆黑，她恨！每个人都在努力向上爬，可以用各种手段，只要能成功！她无非是选了一个错误的方法，为何就要落入被人嘲笑和践踏的深渊？她恨！

一双温暖的小手。

百合没有跌在冰凉的地上，有一双温暖的小手从身后抱住了她的腰，将她用力地扶了起来，稳稳地站在出脚绊她的凤凰旁边。

凤凰恼怒有人扫了她的兴，低头"呸"一口，啐在百合衣角，骂道：

"贱货！"

百合好似没有听见，也没有回头看一下是谁扶起了她，僵直着身子，径直走出了品花楼，走入外面的夜色中。

如歌垂首站回风细细身后，心里说不出是什么滋味。

风细细扭头瞪她一眼，以手帕掩口，轻叱道：

"那种贱人，理她做什么，惹一身麻烦。"

如歌不语。

"你身手倒蛮快，一溜烟就窜到那贱人后面，使的是什么功夫？"风细细狐疑道，忽然觉得自己对歌儿好像也不甚了解。

如歌向场中望了望，道："小姐，幽兰姑娘的书画表演马上就要结束了，你是否要接着上场？"

风细细连忙整整衣裙，理好面纱，再顾不得追问如歌。

*** ***

品花楼内。

有琴泓正在奏琴。

风细细正在起舞。

没有人注意到少了个丫头。

后花园中。

月色淡极。

古琴之声传来，悠悠谦和，平淡雅致。

如歌仰首望着幽蓝的夜空，风，吹动她红色的衣裳，烈烈向后扬起。因为无人，她洁白的小脸上有淡淡的忧伤。

有人经过，惊扰了她。

那人手拿一只小包袱，背脊挺得极直，面容艳丽而冷峻。

如歌叹息道："为何要走呢？"

热热闹闹的桃花开在那人身边，花影映在她脸上，映得她左右两颊被掌掴的痕迹通红骇人。她瞪住如歌，眼中有凌厉的恨意，半晌，道：

"留下来，让你们侮辱嘲笑吗？"

"你有勇气在众人面前挑逗刀无暇，却没有勇气面对些闲言碎语？"

"不一样。"

"有什么不一样？"

百合冷笑："我为什么要对你说？"

如歌凝视她，平静道："因为我刚才帮了你，让你没有摔倒在凤凰脚下。"

百合又冷笑："你以为我会感谢你？"

"你会。"如歌微笑，"如果被凤凰那种女人侮辱，很丢人。"

百合眼中闪过抹奇异的光芒，唇角扯出讥笑："不错，我再下贱也比母狗凤凰强一百倍。"

桃花树下。

百合摸着脸上火辣辣的掌痕，恨声道：

"在品花楼，只凭我的姿色想要出众，难如登天。我不甘心等到人老珠黄再没生意了，还攒不下可供一辈子花用的金银。这是次机会，我必须把握住。只要能攀上刀无暇，定能掏出个金山银矿来，他有权有势，往后也再没人敢欺负我。我当然要拼一把！呸，她们都觉得刀无暇定是喜欢假惺惺的大家闺秀，便一个劲儿扮清高。可笑，真喜欢正经人家的闺女还来青楼做什么，凭他还不一抓一大把？！凡来青楼的都是贱胚，都喜欢看女人脱，看女人浪荡，我偏偏和她们不一样！我索性就脱给他看！"

"可是，你失败了。"如歌提醒她。

百合一怔，闭上眼睛，然后，冷道："所以我走。"

"去哪里？"

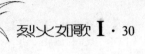

"换个名字，重新开始。"百合眼光黯然，"今夜一过，品花楼里百合的名字就会沦为人们的笑柄，变得臭不可闻。我，不得不走。"

"还做这行？"

"我有别的本事吗？"

"我认识一些人，他们或许可以帮你找……"

"算了，"百合打断她，"一朝青楼人，终生青楼鬼，我再也做不了其他的行当。再说，你若真有路子，又怎会进了品花楼？"

如歌望着桃花树下双颊殷红、眼神阴厉的百合，无奈道：

"那，祝你好运。"

百合冷笑："好运是靠自己争取的。"

"你说得对。"如歌点头，从怀中摸出一只白色小瓷瓶，递到她手中，"这是治疗淤伤的灵药，抹在脸上，一个时辰后印痕便会消失。这样，无论你到哪里，争取到好运的机会都会大些。"

百合凝视她片刻，将瓷瓶收入怀中，转身离开。

从此，品花楼再无名叫百合的女子。

*** ***

古琴声止。

品花楼内掌声、喝彩声如雷。

如歌悄悄回到了大堂中，知道风细细在有琴泓的帮助下，终于抢得了个满堂彩，风头之劲，让其他姑娘为之侧目。

风细细娇声细喘，白纱遮掩下的脸颊娇媚粉红，她妩媚的美目飞快地遍巡全场，见众宾客皆如痴如醉地关注着她，不由喜不自禁，却立刻坐得更端庄些，摆出天山之雪凛然不可侵犯之姿。

如歌轻声道："小姐，恭喜你，今晚的花魁非你莫属。"

风细细嗔她一眼，心中满是欣喜。

这时，场中忽然站起一人。

她内着葱绿团花紧身绸裙，外罩桃红透明轻纱，杏眸挑眉，五官艳丽绝伦，神态张扬娇纵，正是品花楼当月排名第四位的凤凰姑娘。

凤凰高声笑道："怎么姐妹们今晚这等没出息，净是唱歌跳舞作画的，一点新鲜的东西也没有，别让客人们都瞌睡了！让我给大家来一段惊险刺激的提提兴致，如何啊？"

"好！！"

掌声四起！

品花楼的其他姑娘们却都侧目瞪她。

凤凰要表演的是百步飞刀！

为了更加刺激好看，她命丫头香儿在远处站好，头顶放一只苹果，来充当靶子。可是香儿以前哪里干过这种事情，吓得面如土色，双腿颤抖，头上的苹果也随之晃来晃去，让凤凰无法瞄准。

凤凰恼了，劈手一记耳光："没用的家伙，不许抖，再抖我射穿你的脑袋！"

香儿的泪珠儿扑簌簌下来，闭上眼睛，不敢说话。

那边刀冽香却忍不住了，骂道："喂，你欺负个小姑娘算什

么，为什么要打她？！"

凤凰双手叉腰，嘲笑道："怎么，兴你大小姐抽人耳光，我就不可以？！再说，这是我自己的丫头，我爱打爱骂关你屁事！"

刀冽香气得险些昏厥，怒喝道："我方才是在收拾贱人，你却是要一个可怜的小丫头陪你玩命，怎能一样？"

"可怜？！"凤凰伸手拧住香儿的脸蛋儿，拧得煞白，"香儿，你说，你怎么可怜了，我是不给你吃还是不给你穿？！只是让你顶个苹果，就哭得像泪人儿，好像有人虐待你，存心让我丢脸对不对？！"

香儿咬牙忍住泪花，哽咽道："奴婢不敢。"

凤凰白刀冽香一眼，道，"听见没有，这是我们主仆间的事儿，与外人无关！"

"你！"

刀冽香哪里受过这等气，立时就要出手教训她，却被人拉住。用力去甩，甩不开，这才发现阻止她的是大哥刀无暇。

刀无暇含笑道："这位姑娘，即使她是你的丫头，随意打骂怕也不妥。"

凤凰竟好像对他完全不感兴趣，冷哼道：

"只要她是我的丫头，就用不着你管！"

刀无暇望了望远处静坐的玉自寒，见他神情温和，目中似有赞许之色，心中不由一喜，摇扇轻笑道：

"如果我买下她呢？"

CHAPTER2
LIEHUO RUGE I

那夜。

品花楼众花各展绝技、争奇斗妍想要吸引的天下无刀城大公子刀无暇，出乎所有人的意料，最终却挑选了一个楚楚可怜、毫不打眼的小丫头——香儿。当他将香儿搂在怀中，宣布他的所有权时，众姑娘皆脑袋一嗡，看到了"失败"两个字。

郁郁茂盛的榕树下。

有琴泓一身白衣，盘膝抚琴。

如歌在他旁边，手托腮，坐在绿茵茵的草地上，双目怔怔发呆，竟似丝毫没有将那曼妙的琴声听入耳中。

有琴泓望她一眼，道："想什么？"

如歌回过神来，对他吐吐舌头，笑得很不好意思。自从那日她出楼买东西，偶然在这片树林里见到练琴的有琴泓，已经有小

半个月了。这半个月里，她经常来听琴，对有琴泓也逐渐熟悉起来，发现他并没有看起来那样的冷淡与疏离。

"对不起啊，我方才没有注意听你的琴。"如歌小心翼翼地道歉，希望他不要生气。

有琴泓平静道："告诉我你在想什么。"

如歌抱住膝盖，小脸儿仰起来，望着蔚蓝的天空，道："我在想，有些事情真的很奇怪。"

有琴泓等她继续。

"那一次，刀无暇在品花楼第一次出现，我看到很多姑娘都下了工夫，很努力地想得到他的注意和青睐。幽兰姑娘书画一绝，气质出众；翡翠姑娘妩媚风流，歌技出色；凤凰姑娘施出奇招，想用飞刀来与众不同；百合姑娘更是大胆出位，勾魂摄魄；风细细也是足足用了一下午的时间精心装扮，特意戴上了面纱，要扮神秘高贵，为了更引人注目，还请你为她伴琴……"

天空蔚蓝如洗。

如歌叹息：

"可是，她们全都失败了，成功的是一点准备都没有的香儿。为什么会这样呢？不需要努力吗？不需要努力就可以成功吗？或者说，努力了也不会成功吗？"

有琴泓抚琴道："怎会有如此大的感慨？只是运气罢了。"

"运气？"如歌忽然悲道，"可是运气是那么难以捉摸。"

"各人有各人的命。"

如歌闻言，扭过头盯紧他，追问道："努力会有用吗？"

有琴泓依然抚琴，垂首道："有时有用，有时无用。"

如歌笑了："多正确的一句话啊。有时有用，有时无用，但谁人知道何时有用，何时无用呢？"过了一会儿，她摇摇头，道："还是要努力，即使不成功，也不会后悔了。"

"你说得有理。"

如歌听到他的赞同，高兴极了，笑道："就好像你，因为总是在努力地练琴，所以才能成为名扬天下的琴圣！"

有琴泓道："你错了，我不是琴圣。"

"什么？"她震惊地张大嘴，"你不是琴圣？！"

"我只是琴圣的弟子。"

青翠荫茂的榕树下。

白衣的有琴泓悠然出尘，清雅绝伦。如歌实在不敢相信，他如果不是琴圣，真正的琴圣又会是何等人物呢？她不禁向往起来。

琴声淙淙。

有琴泓在琴声中回忆道："遇到琴圣那年，我十二岁。琴圣一袭白衣，洁白得像天山上的雪，比阳光耀眼，让人简直看不清楚他的模样。"

如歌好奇道："他的琴艺比你还出色吗？"

"我连他一分也比不上。"

她不信。

有琴泓笑："最起码，他奏琴时你绝对不会走神。"

如歌羞红了脸："我已经道过歉了。"

有琴泓笑得宽容。

如歌喃喃道："琴圣……不晓得我能否有机会见他一面……"

她的时间已经不多了。

"琴圣每年会到品花楼一次，算算时间，也快了。"

有琴泓的声音中也似带着无限向往。

***　　***

品花楼除了"麻雀变凤凰"一夜间身价倍增的丫头香儿，最让人艳羡的就是风细细。

风细细也算是因祸得福，没能抓住刀无暇，却被烈火山庄的玉自寒看上了。从初一那夜后，玉公子便经常来她的风阁，她在品花楼排行榜上的名次随之一路飙升，转眼坐到了第二的位置。想来，也只有烈火山庄才能让天下无刀城尽敛光芒，才能让她成为当下品花楼最当红的姑娘。

（有看官说了，不对呀，这风细细只是排名第二，怎会是最当红的姑娘？！您不知道，风细细就算再自负也不敢跟排名第一的雪相比，只是雪极少待在品花楼里。）

风阁。

玉自寒临窗而坐，静静品茶。

风细细也算是见过场面的女子，可是，因为对面坐着玉自寒，她竟然手足无措起来。

茶气淡淡轻袅。

玉自寒清俊的面容温文谦和，薄薄的嘴唇轻触细腻的青瓷碗，目光清远而悠长，像在等待一个生命中最重要的人。

风细细紧张地绞着手，不知该说些什么。

她见过比他俊秀的客人，见过比他阔绰的客人，见过比他威武的客人，见过比他凶悍的客人，她从没有紧张过。男人嘛，想要的不过是那些东西，给他们就是了。

可是，这位玉公子大是不同。

他眉宇间笼罩着柔和的光华，虽然坐在轮椅上，却似世间绝美的温玉；他唇角清淡的微笑，却给她一种不怒自威的感觉。在他身边，风细细忽然觉得自己脏得很，连多看他一眼，同他说句话，似乎都是对他的亵渎。

玉自寒好像并没有察觉到她的失措与沉默，只是用指腹静静抚摩着青瓷碗，若有所思地看着窗外。

身后的玄璜垂手静立。

这时，屋外响起一阵急匆匆的小跑声，像团火焰一样直冲进来，门上的帘子"哗"一声被撩开！

一身鲜红衣裳，脸颊粉扑扑冒热气的如歌，手中捧着一个纸袋，微微喘着气，高兴地喊："君山银针买到！"

风细细扭头看她："你回来得倒快。"

如歌笑："呵呵，我是跑着去跑着回的。"说着，她走到玉自寒身边，打开茶袋，银针的清香顿时盈满房间，她连声道："你快瞧瞧，茶坊老板说这是上等的君山银针，好喝得不得了，是不是真的啊。"

玉自寒凝视着她，眉心微微皱起，他从怀中取出一方青色的手帕，细心地为她拭去额上细密的汗珠。

如歌一怔，笑着接过帕子，胡乱抹了抹脸，道："只是跑得急了点。"

玉自寒摇头，自青花茶壶中斟出一杯茶来，递到她手中。

如歌一仰头，咕咚一声喝下去，道："好了，别管我了，你要不要尝尝新茶？"

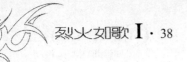

　　玉自寒微笑着顺她的意思看起茶叶来，这银针芽头肥壮，紧实挺直，芽身金黄，满披银毫，果然是上等货色。

　　这边，如歌好奇地对风细细道："小姐，我回来的时候见大门外拥着许多人，人山人海的，我险些回不来，他们在做什么呢？"

　　风细细瞅着她，心里五味杂陈。她越来越觉得这丫头不是寻常人，只看玉公子对她的神态又是亲近又是呵护，便知她的出身背景定是有些来头。胸口一片酸酸的，可她也明白，很多事勉强不来，若歌儿果有大来历，哪里是她惹得起的。就算歌儿真是个普通的丫头，以玉公子对她的亲厚，她也不能气不能骂。毕竟凤凰的前车之鉴在那里摆着。

　　风细细想了想，道："要算日子的话，应该是雪回楼的时候了。"

　　"雪？！"

　　如歌有印象。雪是品花楼排行第一的姑娘，可是从没见过她。

　　"雪每次回来都会引起洛阳的轰动，五湖四海哪怕再远的客人也想来看一看天下第一美人的芳容。"

　　"天下第一美人啊——"如歌惊叹，"不晓得会美成什么样子。"

　　"风华绝代。"风细细叹息，"哪里能想到世上会有那样的美人。"

　　风华绝代？！

　　如歌动容道："所以她常年不在品花楼挂牌，却仍是稳坐第一的宝位？天哪，我一定要看看天下第一的美人究竟是何等美法儿！"

风细细笑道："外面那些人跟你的想法一样，都要来看一看雪。不过，雪只到品花楼一晚，品花楼的地方也就只有这么大，当然不能谁都进来。所以，想要那晚进来的人，必须事先取得品花楼的进门牌。"

"用钱买吗？"

"每张进门牌十两黄金。"

"哇！"

"就算这样，品花楼的进门牌此刻也正是天下最抢手的东西，错过这一次，便只有等明年了。"

如歌听得呆了，立在玉自寒身边了好久的怔。

***　　***

月光皎洁。

杏花树上开满了粉白的花朵，在月色下，仿佛披上了一层晶莹的华彩。

卷起一阵轻风。

杏花花瓣飘下来，落在轮椅中玉自寒的青裳上，落在如歌出神的眼睫毛上。

如歌眨了眨眼睛，花瓣悠悠滑落。

"昨天品花楼外面打起来了，一个昆仑派的高手和一个铁剑门的高手为了争剩下的最后一张进门牌打得很惨烈。"

她笑着问玉自寒："知道谁胜利了吗？"

玉自寒摇头。

"是一个霹雳门的少年。昆仑派和铁剑门的人打得两败俱伤，却让他捡了个现成的便宜。"

如歌又笑："我还听说，这次会是雪最后一次出场。品花楼昭告天下，雪将会在五日后从众客人中选择一个人，作为她今生惟一的主人，从此不再接客。啊，雪究竟会选择一个怎样的人做她的主人呢？我都快好奇死了！"

她忽然有趣地上下打量玉自寒，道："咦，咱们玉公子清雅秀致，人间之龙，不晓得雪姑娘会不会瞧上你呢？"这会儿玄璜把风细细支开了，她同玉自寒说话便随意了许多。

玉自寒没有笑。

他凝视着一脸欢快笑容的如歌，伸出手，将她额角微乱的发丝轻轻理好，然后问道——

"何时回去？"

他的声音略微低沉，带点鼻音，有些怪异，却清远而好听。

如果有人经过，听到烈火山庄的玉自寒开口讲话，肯定会吃惊到下巴掉在地上。玉自寒从小又聋又哑又残，是所有人都知道的事情。而他，居然会讲话？！

粉白的杏花扑簌簌自枝头跌落在玉自寒青色布衣长衫上。

如歌用手指拈起一朵花。

她的手指洁白，但并不细嫩，指节清瘦有劲。

她苦恼地转着指间的花，埋怨道："你明明知道人家不愿意去想。"

"大家都担心你。"

自从她走后，烈火山庄仿佛失去了笑容，连鸟儿都不再歌唱。

如歌仰起脸，问道："他呢？他担心我吗？他想我了吗？"荷塘边那个她心心念着的少年，阳光折射在他右耳的深蓝宝石上，他的幽暗的眼底闪动着比宝石更令人心动的光芒。在她离开的这段日子里，他可曾想念过她？

玉自寒摸摸她的脑袋，不语。

如歌心底一片凉，她挤出笑容，笑道："我又问傻话了，让玉师兄为难。"

"歌儿……"

"能在这里见到玉师兄真好，就像有家的感觉。还能听到玉师兄的声音，玉师兄的声音可是只有我一个人才能拥有的宝贝哦！"她一连串快速地说着，不让自己有一丁点儿伤心的机会。

忽然，她想到一件事："师兄，我在这里的事，你没有告诉别人吧？"

玉自寒摇头。

如歌高兴地笑："我就知道玉师兄最好最疼我了，知道我在这里玩得开心，才不会同别人讲呢！"

玉自寒的手指轻轻滑过她晶莹的笑颜，很久没见她笑得如此开心了。在烈火山庄，她变得越来越不快乐，如果在品花楼能忘掉烦恼的事情，就留在这里好了。

他会陪着她。

夜渐渐凉了。

如歌解开手旁的包袱，拿出一床青色缎面的薄被子，叠几下，盖在玉自寒腿上。

玉自寒道："不用。"

"怎么不用？！"如歌瞪他一眼，"是啦，一个大男人盖床被子是不好看，不过这里又没有外人，不用怕丢脸。你看，被子的颜色我还特意选了青色的，不注意看不出来的。"

他微笑，目光温润如月光："好。"

如歌这才满意，点头道："你自小身子就不好，要小心些才行。尤其是你的腿，筋脉已断，血流不畅，更要当心……"

他的笑容温暖，那床被子像是盖在了他的心上：

"好。"

如歌摸摸他的脑袋，笑道："真好。这才是歌儿的好师兄。"

接着，她想了一会儿，蹲下身子，趴在玉自寒的膝上，对他说：

"师兄你放心，我不是因为逃避才来品花楼的，也不会因为逃避而永远待在品花楼，我会回去的。可是，我对即将要到来的雪姑娘很感兴趣，让我看一看她再走，好不好？"

***　　***

夜幕中的品花楼华丽而雍容。

千盏灯笼齐点。

万束烟花并燃。

绚丽热闹的灯火映得洛阳城东面的天空一片红亮。

品花楼外被装饰华美的马车、精致漂亮的轿子挤了个水泄不通。

小厮们在楼门口忙着查看客人们手中的进门牌，今夜只有拿

着进门牌的人方能进入，可急得那些没有牌子的人团团打转。这
会子，就算想出再高的价钱，也没有人肯转让它。

品花楼内。

原先的三十六张桌子已全被坐满，楼里新加的十二张桌子也
都坐满了人。

玉自寒预定的桌子位置极好，又僻静，又可以将大堂正中的
玉石阁台看得一清二楚（原本这阁台是由青竹搭成，但品花楼为了
雪的出场，特意将其改成了玉石的。） 如歌四下望了望。

紧靠他们这一桌的是刀无暇兄妹。刀无暇今晚格外精神，金
冠束发，一袭银底滚金丝刺花长袍，映得唇红齿白，风流倜傥。
他身边是像小鹿般楚楚可怜的香儿，怯生生依偎在他怀中，察觉
到有人看她，香儿惊慌地抬眼，见是歌儿，便展开一抹似羞似怯
的笑容。刀冽香已开始喝酒，两颊晕红，眼睛亮得出奇，时不时
瞥一眼玉石阁台，像是满怀心事。

如歌往大堂里再看一看，心里隐隐觉得有些不对。今晚品花
楼里额外地多了些女客，她们或雍容华贵，或娇媚动人，或清高
秀丽，但眼神中都带着跟刀冽香一般的奇怪神情。

如歌正感到蹊跷，忽然，她瞪大双眼，看到了一个本不该出
现的人——

有琴泓！

有琴泓自内堂出来，怀抱一张通身红玉凤尾形状的古琴，谦
恭地登上玉石阁台，用一方净帕细心整理调音。待调好后，恭身
立于琴旁，似在等待琴主。

如歌喃喃道："有琴先生到这里做什么？不是初一十五啊。"

风细细看她吃惊的样子，不禁笑道："有事弟子服其劳，有琴泓出现很应该呀。"

"弟子？！"

如歌惊得嘴巴合不起来："你的意思是雪姑娘是有琴先生的师傅？有琴先生是雪姑娘的弟子？天哪，那雪姑娘岂非就是琴圣？！"

赚到了！既能一睹天下第一美人的风姿，又能聆听琴圣的乐曲，真是太值了！怪不得那么多人打破头也要挤进品花楼。天下第一美人……琴圣……是怎样的妙人可以集二者于一身啊？她的血液兴奋得沸腾起来。

这时，却轮到风细细吃惊了：

"歌儿，你为何把雪叫做姑娘？"

"雪……姑娘……"如歌一头雾水，"怎么了，有什么不对吗？"

风细细啼笑皆非：

"傻丫头，雪哪里是姑娘，他是个货真价实的男人！"

男人？！

如歌一口气噎到，拼命咳嗽起来！

玉自寒见她小脸涨得通红，轻轻拍打她的后背帮她顺气。

如歌咳了一会儿，刚缓过劲儿，就连声惊问：

"雪，是男人？"

"对呀。"风细细见清玉般的玉自寒面容上满是对如歌的关切，心中不由得微酸，却仍微笑着回答她的疑问。

"那为什么是天下第一美人？"

"哎，男人就不是人了？"

如歌震撼到说不出话。

*** ***

四月的春夜。

漫天飞雪。

晶莹璀璨的雪花在玉石阁台上飞舞，旋转着、轻笑着在抚琴的雪衣男子衣襟、袖袍间跳跃出最幸福的笑颜。

雪花在雪衣男子身旁，竟似是有生命的，柔柔依恋，闪亮跳跃在他的眉梢、唇角。

盈雪缭绕间。

雪衣男子仿佛是天地间最耀眼的一道光芒。

耀眼的绝美的光芒。

雪。

琴声。

忽而清澈透明，酣畅淋漓。

清越如泉水。

忽而古朴浑厚，淡泊高远，婉转幽深。

浑厚似松涛。

琴声中又似有一股幽怨，一股惊艳，一股尘世间至沉至痛的恨意，一股红尘中最爱最怜的欣喜。

这是一个如花的男子。

他的名字，叫雪。

如歌屏息惊奇地望着雪，不觉间，被他所魅惑。

夺目耀眼的光芒中，雪晶莹出尘。

但他的眉宇间又有说不出的惊艳和妖异，那种决绝的美丽，简直撕心裂肺。

有一刻的恍惚，如歌突然觉得自己是见过他的。

但这又绝不可能，如果她真的见过雪，怎么会忘记。

正思绪纷乱。

雪，自红玉凤琴间，朝她的方向，微微而笑。

一种韵致就这样在他的眉目间流连，让人读不完、读不尽、读不清，让人忍不住看了又看，重新再看。

如歌不敢确定雪望的是否是她，因为，她发现在雪的轻笑中，品花楼已经痴了一大片。

*** ***

一曲弹毕。

在所有人的翘首企盼中，今夜的重头戏终于开场了！

那就是——

雪会在众人中选择出他一生一世将会跟随的主人！

会是谁呢？会如何选择呢？如歌偷偷猜测起来。

嗯，会不会单刀直入，看谁出的钱多？这种方法很干脆直接，就怕是俗了点吧，恐怕有辱雪的身份。

正如是想，一个浑身珠光宝气的中年商贾挥动着双手上十几个硕大的宝戒：

"雪，只要你愿意跟我去，我愿出黄金一万两！"

如歌傻了，真有人如此直接。

那里又有人喊道："我愿出十万两！"

"二十万两！"

"五十万两！"

"……"

"一百万两！"

一个清亮执拗的声音越众而出，喊出的价码让众人咋舌。

众人循声望去，却见那人正是天下无刀城的刀冽香！

刀冽香剑眉樱唇，眼神深幽明亮，紧紧盯住悠然而笑的雪，又说一遍："我愿出一百万两黄金，只要你永远在我身边。"

雪闻言笑如临风之花。

他伸出右手洁玉般的食指，优雅地摇一摇："不够。"

刀冽香身子一僵，剑眉深凝，咬牙道："你要多少，我都可以给！"

众人哗然，好大胆的女子。

这时，一个布衣少年笑出声来："你这女子要不要脸，居然抛头露面出钱买男人，怪不得别人看不上你！"

刀冽香不怒反笑："哦，兴男人花银子买女人，就不许女人花银子买男人？"

说得好！

如歌暗暗喝彩。

布衣少年愣了愣，笑骂："好泼辣的婆娘，少爷我懒得跟你争辩，将来自有人收拾你！"

刀冽香怒笑："哪里来的不知死活的小子，竟敢这样同我说话！姑奶奶是天下无刀的刀冽香，今天就站在这里，看谁敢来收拾我！"

"天下无刀吗？好臭好臭！简直臭不可闻！"布衣少年笑嘻嘻地捂住鼻子，"原来是因为有你这个刀冽臭！"

刀冽香震怒，一拍桌子，红香刀飞入她的掌中，直取那布衣少年的首级！

布衣少年轻飘飘一跳，跳至白衣耀眼的雪身旁，俯首凑到他面前，笑得天真无邪：

"哎呀呀，你长得可真漂亮，少爷我喜欢上你了，跟我走好不好？"

刀冽香一刀落空，心有不甘，又想再补上一刀，却被刀无暇拦住，听见兄长道："等一等，这小子似有古怪。"

雪微笑着，打量布衣少年。

布衣少年年约十八，眼睛大而明亮，嘴唇丰满微翘，像夏日里新剥开的橘子，扑面一阵清香。

他的手指轻抚上少年诱人的双唇，抛出一个妖娆的笑：

"少年郎，你是谁呀？"

布衣少年被他一抚，灵魂儿飘走了三分："我……咳，本少爷是江南霹雳门的少主雷惊鸿。"

说着，他一把握住雪的手，笑道："只要你跟了我，我把整个霹雳门都送给你！"

江南霹雳门。

武林新崛起的门派，近几年发展极快，在江南一带隐有霸主之像。霹雳门擅使各种火器，威力惊人，杀伤力强，其他门派轻易不愿与之为敌。

霹雳门掌门人雷恨天阴厉狂妄，喜怒无常，在江湖中结下了不少冤家。看来他儿子雷惊鸿的性情也好不到哪里去。

雪轻轻反握住雷惊鸿的手，宛然叹道：

"雷郎，你很好……"

雷惊鸿只觉他掌心滑腻，柔若无骨，不禁痴了。

"只可惜……"雪又是一叹。

雷惊鸿痴痴接道："可惜……"

雪温柔一笑，伤感得似深夜中绝美的白花：

"……我已经有了心上的人儿，我喜欢她喜欢得紧，却不知她会否嫌弃我……"

说着，竟似要垂泪。

雷惊鸿被他的忧伤揉碎了心肠，立时拍着胸脯道：

"谁敢嫌弃你，我把谁炸得粉碎！"

"还有……"雪幽幽凝视着他，目中似有清泉般的泪珠灿灿生光，"我怕别人不许我和她在一起……"

"谁敢啰嗦你们，我就把谁炸成碎片！"

雪破涕一笑，似千花万花瞬间齐齐绽放。

他玉葱般的食指遥遥一指——

"我要她做我的主人。"

*** ***

像深夜中绚丽迷幻的魔法。

雪优美的手指点亮了品花楼大堂中一个红衣裳的小丫头。

刹那间。

如歌的头顶旋转起十八个红彤彤的大灯笼!

所有的光亮、所有的目光、所有的呼吸都集中在她所站立的地方!

她的脑袋有点晕。

她的耳朵嗡嗡响。

原来,麻雀变凤凰的感觉是这样啊。

有些飘飘然,有些难以置信,有些骄傲,有些想笑,有些紧张,有些滑稽,还有些莫名其妙。

如歌清水分明的大眼睛忽闪忽闪。

她没有去理会那些嫉妒的、怨恨的、诧异的视线,只是直直地盯着那个轻笑如花般绝美的男子,慢慢抬起手,指住自己的胸口,问了一个问题——

“是我吗?”

*** ***

夜风带着香气袭来。

不是杏花香,不是桃花香,冰清玉洁,清清凉凉,像是从雪的身上沁出来的。

雪笑吟吟地凝望着一脸奇怪的如歌，晶莹的肌肤被月光蕴染得玲珑剔透，薄薄的，似乎呵一口气就会融化掉。

如歌看着这个风姿如花的男子，吸一口气，问道：

"你以前见过我吗？"

"没有。"

"我很美丽吗？"

雪轻轻摸上她可爱的小脸儿，像在斟酌用词，终于还是惋惜地摇头道：

"你还太小。"

如歌皱皱鼻子。自信心受到了打击，算了，先不理它。

"我在大堂里有什么与众不同的举止吸引到你吗？"

"没有。"

"你是对我一见倾心，莫名其妙地就喜欢我吗？"

"不是。"

"那么——"

如歌深吸一口气，大声道："你为什么要在众人面前捉弄我？"

夜风中。

杏树开满粉白的花。

雪睐着气鼓鼓的如歌，咯咯轻笑，纤美的身子像风中的柳枝微微摆动，笑得杏花黯然神伤。

他伸手捏住如歌的小鼻子，嗔道："真是个笨丫头！"

"我哪里笨？！"如歌愤然。

"人家自然是喜欢你，才选你做人家的主人。"雪飞出一个媚眼，眼波似秋水横流。

如歌受不了地皱起眉毛："你刚才说……"

"不是莫名其妙，而是深深地、深深地、深深地喜欢你。"雪拉起她的手，放在他的胸口上，柔声道，"你听，我的心在为你而跳，每一声心跳都在对你说——我喜欢你。"

如歌浑身一阵寒意，她拼命将手抽出来：

"你以为我真是个笨蛋？"

"你不笨，是我笨。"

"……"

雪痴情地望着她："谁让我一见你，就无可自拔地喜欢上了你。"

啊！

受不了了，再这样和他左缠右缠下去，她会疯掉！如歌怒视着他，道：

"说吧，你究竟想要什么？"

雪莞尔一笑："你有什么？"

"我……"她噎住，"我什么也没有。"

"看吧，那我又会图你什么呢？"雪委屈地瞅着她，秋水双眸中泪光闪烁。

如歌无奈地叹息："好，让我直接地告诉你——"

雪凝神倾听。

"我不想做你的主人，也不想把你带在身边。"她瞪着他。

哀伤的泪水。

伴着七彩的光芒，"哗"一声，流下他绝美的面颊。

雪泪眼盈盈，悲声道："为什么？"

如歌觉得自己好像是罪人："因为……因为我不会在品花楼待很久……我要回家了……"

"我可以跟你走！"

"哎呀，我一个女儿家，不方便带着男人回家，爹会骂我的！"

雪微嗔："就为这些？"

"是……是啊！"

"那好办，我扮做女子好了，"雪笑得妩媚多情，"你爹绝看不出我是男人。"

这一刻，如歌强烈怀疑起他的身份，她迟疑道：

"你——究竟是男是女？"

雪似笑非笑："反正我已经是你的人了，今晚就到你房中让你好好瞧瞧，好不好？"

如歌慌忙摇手："算了，算了。"

盈盈月光中。

满树杏花下。

如歌皱起小脸，沮丧地望着这个浑身绽放着耀眼光芒的绝色男子。他眉眼间撼人心魄的艳丽，他唇边似有若无的柔情，恍惚中，她觉得他不是雪，而是一只翩舞九天中欣喜哀伤的凤。

雪轻倚树干，锦簇的杏花在他头顶吟唱。

他笑：

"让我同你在一起，我可以帮你。"

"我不需要……"

"你到品花楼为的是什么呢？"他凑近她，声音轻如呢喃，"风细细无法教给你，天下除了我，没有人能够指点你——"

如歌身体僵住。

雪轻轻吻上她秀美的右颊，啄一口，曼笑道：

"——如何抓住一个男人的心。"

如歌拼命擦拭他留下的清凉微痒的痕迹，争辩道："我没有……"

雪充耳不闻，似在绵绵回忆：

"一个少年郎，你爱恋的少年郎，他有刚美的身躯，他有坚忍沉默的性格，他有微微卷曲的幽黑发蓝的长发，他有一双幽黑深邃的闪动蓝色光芒的眼睛，他有一只自出生就嵌在右耳中的蓝色宝石……"

"你……"

"在漫天碧叶的荷塘边，少年郎怀抱着十四朵盛开的娇红荷花，脸儿有些羞涩，声音有些紧张，对他爱恋的少女说……"

"你究竟是谁？！"

如歌大惊，浑身血液"轰"一声冲上头顶！

雪轻笑：

"我是能帮助你的人。我知道该如何抓住一颗渐渐远去的心。"

他骄傲地笑着，白衣灿烂如雪，月光洒在他身上有种让人屏息的耀眼：

"普天之下，无论男女，皆为我沉醉，为我着迷。只要让我帮你，那少年郎绝逃不出你的手心！"

*** ***

夜深人静。

如歌轻手轻脚摸回自己小小的屋子，一路上她的脑袋乱得很，品花楼各房中传出的低喃声、娇笑声、呻吟声都没能入得了她的耳朵。

门一推开。

她立时发现屋内有人。

一个青衣的背影。

临窗坐在木轮椅中。

清俊的身影在斜照进来的月光里淡淡蕴出玉般的光华。

如歌惊道："玉师兄，你在等我吗？"

话一出口，她想到背对着自己的他是听不到的，便走到他前面，蹲下来，面对着他，慢慢道："你在等我吗？"

玉自寒凝视着她，似乎有很久没有见到她似的，目光静静地在她脸上流连。

如歌对他微笑：

"你有话要问我对不对？可是，在你问我之前，我要先责备你几句啊。"

玉自寒凝神"听"。

"你不应该背对着门坐，万一有坏人进来怎么办？是，我知道师兄的功夫高得很，没有几个人会比你强。但是，小心一些总是好的，对吧？"如歌摸摸他的脑袋，轻声说。

不知什么缘故，打从小时候第一眼见到玉师兄，她就有一种

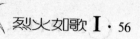

强烈的保护欲。即使以他今日的身手和地位已经不需要她的保护了，可还是自觉不自觉地总想要把他照顾得周全。

他点头，让她知道他将她的话听到心里去了。

如歌满意地笑了："好，现在让你问我。"

玉自寒望住她，目光清越如山：

"雪。"

这个字带着浅浅的鼻音，低沉却好听。

如歌瞅着他，尴尬地笑：

"呵呵，我竟然被一个绝色的男人'迷惑'了，不知道为什么，在他面前我表现得像个笨蛋。"真是个笨蛋，明明知道他的笑呀他的泪都是作戏，可是，每一个表情都让她无法招架。天下第一美人，果然名不虚传。

她苦笑："雪有问题，对不对？我也觉得他有古怪……可是……"

……

雪轻笑："我是能帮助你的人。我知道该如何抓住一颗渐渐远去的心。"

……

如歌仰起脸，眼睛亮得惊人："我答应他了，我要带他回烈火山庄。即使会闯祸，我也要赌上这一把！"

玉自寒静默。

半晌，他轻柔地拍拍她的脑袋，像在告诉她——

不用担心，他会保护她。

CHAPTER3
LIEHUO RUGE I

清晨。

第一抹阳光照在烈火山庄金碧辉煌的牌匾上。

烈火山庄的大门近在眼前。

如歌整整身上的衣裳，拍打掉头发上挂着的露珠，心里又是高兴，又是不安，她扭过头问玉自寒："师兄，我看起来还好吗？"

轮椅中的玉自寒含笑点头。

那边，雪撩开软轿的帘子，慵懒地打个哈欠，掩嘴道："笨丫头，一整晚没睡忙着赶路，气色怎么会好？别听他的，他在骗你。"

如歌生气了，对他怒道："不许这么说师兄，他从来不会骗我！"

雪嘟起娇美的嘴唇，似在伤心道："人家不过说实话而已嘛，就骂人家，好偏心。"说着，他伸出一根玉指，对如歌勾一勾，

"来。"

如歌有些犹豫，想一想，还是走了过去。

"做什么？"

雪对她眨个媚眼，忽然，一把捧住她的脸，双手又拧又搓她的面颊。

"啊！"如歌吃痛地轻呼，双手立刻翻上钳住他的手腕，惊道，"你干什么？！"

"好痛！"雪痛得额头冒出薄薄一层晶莹的汗珠，眼中噙着楚楚的泪光，哀叫道，"痛死了，人家的手要坏掉了！"

如歌松开他的手腕，瞪住他："你揉我的脸做什么？我又不是面团！"

雪凄楚地望着双腕上的青紫指痕，垂泪："人家是想让你的气色好一些嘛。你看你现在眼睛亮晶晶，脸颊红扑扑像桃花，这才漂亮啊。"

泪水如珍珠扑簌簌落下：

"可是，你却这样待人家！人家的手腕痛死了，心也痛死了！"

如歌看着梨花带雨的雪，叹气道："是不是真的？"

雪哀怨地瞅她，眼神中有百般怨、千般恼，万种道不清说不明的嗔，仿佛冬日的雪花向她飞过来。

如歌举手投降："好，是我错，请原谅我。"

没有诚意。雪正想再说些什么，却见到烈火山庄的大门缓缓自里面打开了！

朱红色的大门渐渐敞开。

自烈火山庄内走出三十二人，左右各一列，依次站好，神情恭敬，望着如歌和玉自寒，眉宇间自有说不出的喜悦。

"恭迎小姐、玉少爷回庄！"

众人的声音加起来，亮如洪钟，似朝霞一般，使整个烈火山庄霎时沐浴在欢喜激动的气氛中！

正此时。

两个纤纤身影出现在大门处。

一个女子娴静温婉，目中深蕴着动人的光芒，凝视着一路风尘的烈如歌，静静站着，唇角慢慢弯起一抹笑容，终于放下了牵挂许久的心。

另一个女子却耐不住性子，像只小鸟一样张开双臂，向烈如歌冲过去，欢呼着，在兴奋的泪花中，紧紧将她抱住：

"小姐！小姐！你总算还知道回来吗？！"

如歌被蝶衣抱在怀中，闻到她身上熟悉的甜香，感觉到她的泪水落进自己的脖子里。这一刻，她真真正正地感觉到——她回来了。

她不再是品花楼的小丫头，她终究还是烈火山庄的烈如歌。

*** ***

烈如歌的厢房。

薰衣双手递给坐在香几上的如歌一方湿巾，温温的，敷在脸上煞是舒服。如歌闭上眼睛，享受得直想叹息，啊，还是在家里好啊。

蝶衣却像是生起气来，噘着小嘴道："薰衣，不要理她，没有良心的小姐，还回来做什么！既然你不要我们了，我们也不理你！"

如歌心下暗叫糟了，边向薰衣使眼色求她帮忙，边扯住蝶衣

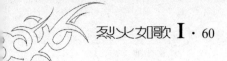

的袖子，轻轻摇晃：

"蝶衣姐姐，求你不要生歌儿的气好不好？歌儿这不是回来了吗？歌儿就算在外面，心里面仍然惦念着蝶衣姐姐和薰衣姐姐，怎么会不要你们呢？"

蝶衣一股气难消，瞪着她："你竟然说走就走，都不知道大家会担心你吗？"

如歌低下头："对不起。"

蝶衣白她一眼，稍微平息一下怒火："我们知道你心里不舒服，你想出去散散心，我们也不会拦着你呀。你说要去哪里，就算天涯海角我们也会二话不说跟随你，哪怕庄主将来治我们的罪，我们也不怕！可是……"

她脸色苍白："你一声不响偷偷溜走，从小到大你从没有离开过烈火山庄半步，这一走，叫人可有多担心……"

薰衣接过如歌手中的巾子，微笑道："小姐，你走以后蝶衣是吃不下睡不着，她还担心你会想不开寻死，满山满河地去找你。"

蝶衣脸儿微红，嗔道："说这干吗？"

如歌惊得张大嘴："我会寻死？蝶衣姐姐，你觉得我会那么想不开？！"难道，她给人的印象是脆弱到不堪一击？

蝶衣望着她，无语。

薰衣摇头道："蝶衣，小姐远比你想像中坚强得多。她绝做不出寻死的傻事。"

如歌凝视着从小陪她一起长大的薰衣和蝶衣，拉住她们两个的手，郑重言道：

"两位姐姐放心，我向你们保证，无论遇到什么样的打击，我都会鼓起勇气活得很好！像寻死啦，绝望啦这样的字眼，不要放在我的身上！我是烈火山庄最值得骄傲的烈如歌！"

"好！"

厢房外传来一个狂笑的声音，像阵旋风刮开了房门！

屋外的小丫环翠衣赶忙恭敬道："庄主到！"

身高九尺、发须皆白、左脸一道入骨深疤的壮年人踏步而入，目光炯炯注视喜泪盈眶的如歌，大声道："有志气！这才是我烈明镜的好女儿！"

"爹！"

如歌"扑通"一声扑进他怀中，脑袋在他的胸前用力蹭来蹭去，鼻子蹭得通红，眼泪哗啦流下来，哽咽道："爹……爹……"

薰衣、蝶衣静静退下。

烈明镜怀抱撒娇哭泣的如歌，刀疤的脸上不易察觉地流露出怜爱的神情，浓密银色的须发无风狂舞。

良久，他拍拍她颤抖的后背，沉声道："好了，别哭了。这么大的丫头，哭得像个小孩子，丢人！"

如歌不舍地离开他，用力耸着小鼻子故意又抽泣了两下，撒娇道：

"怎么了，又没有外人，在自己爹面前哭有什么丢人的！再说了，在爹跟前我本来就是小孩子嘛，永远都是让爹疼我的小孩子！"

烈明镜笑了。

他宠爱地又抱了抱她，方才放开，道："如何，在品花楼收获得还满意吗？"

如歌想一想，应该不是玉师兄告诉爹的，他承诺不通知烈火山庄就绝不会失言。她俏笑道："爹，青火堂的消息的确蛮灵通

的。真奇怪，我在品花楼并看不出谁是庄里的人啊。"

烈明镜白眉一振："为何不怀疑玉儿？"

如歌笑："玉师兄绝不会欺骗我。"

烈明镜长笑："好！信人不疑，方可成大事！玉儿是你可以信任的人。不过，"他略一顿，"有些人，却不可不防。"

"爹能说明白些吗？"

烈明镜摇首："很多人很多事必须你自己去发现、去判断。爹可以在一旁帮你，使你不至酿成大错。但是，你的一生很长，最终还是要靠你自己的能力。"

"是，女儿明白。"

烈明镜换了个话题："你这次离开，是因为枫儿。"这句话不是疑问，而是陈述。

如歌咬住嘴唇，轻声道："是。"

战枫，爹的大弟子，十九岁，曾经是沉默多情的少年，却突然间变得冷漠残忍。曾经她是他生命中一切的甜蜜与悲伤，却突然间他连看她一眼也觉得多余。

"在天下第一楼习得挽回枫儿的办法了吗？"

原来，爹知道她的心思。如歌苦笑，她纵使到了名满天下的品花楼，见到了众位倾国倾城的美人，见识了种种吸引男人的法子，可是，究竟怎样才能收回战枫的心，她却越来越糊涂了。

"没有。"她无奈地承认。不过，这次品花楼之行她也并不是一无所获的。踏出烈火山庄，她发现这世上原来有那么多事情，那么多人，这世界比她想像中大上许多许多。

烈明镜凝视她：

"仍旧喜欢枫儿吗？"

透过雕花木窗，如歌望到了远处那一大片荷塘。

没有荷花。

没有荷叶。

阳光射在水面上，荡起一圈圈金色的涟漪。

"是。"

如歌骗不了自己，她也不想骗自己。

她喜欢战枫。

从很小开始她就喜欢战枫，喜欢他英雄的身姿，喜欢他坚忍幽暗的眼神，喜欢他拔刀时微眯的目光。见到战枫她会开心，见不到战枫她会想他，想到心揪成一团，想到手心会微微出汗。

原本她以为她会同战枫一起在烈火山庄，幸福平静地度过一生。

谁料到，两年前，战枫背弃了她。

他爱上了一个青楼出身的女子——莹衣。

烈明镜看到伤神的如歌，双目间骤然暴出一抹决然的光芒："一个月内，我定会让枫儿同你成亲！"

如歌一惊，然后笑："爹，你勉强不了枫师兄。"

烈明镜冷笑："他会接受。"

她知道爹能说出这话来，自然有一定的把握，可是——

"爹，这是我的事情，让我自己处理吧。"她不要成为在父亲保护下的一条没用的可怜虫。

烈明镜皱眉。

如歌挺起胸膛，微笑，努力笑得骄傲而自信：

"我会用我自己的办法去夺回枫的心！"

*** ***

瀑布从崖壁奔腾而下，带千钧之力，挟万马之狂，卷起滚滚的白雾，阳光中，蒸腾出七色的幻彩。

一个少年站在水瀑中，幻彩将他雄美的身躯勾勒出来，世人惊怕的冲击力能将一百头牛瞬间压成薄薄一片的银刹瀑布，在他张开的双臂间温柔泻落。

如歌在瀑布旁，静静凝视着他。

她的眼睛有些湿润，晶莹的小脸崭放出动人的光芒。她轻轻攥起手心，用力调整突然紊乱起来的呼吸。

瀑布的水流冲击在他阳光般的肌肤上，也冲击在她思念欲狂的心上。

一阵强烈的酸楚涌上来。

她发现自己有些想哭。

水瀑下的少年感觉到有人，微微眯开眼睛，一道目光，仿佛凌空飞去的剑，向她的方向射去！

阳光折射进他的眼睛。

深沉幽暗的眼底，一瞬间，飞快掠起一道亮蓝的火花！

如歌见他不再练功，便将双手圈在嘴边，清亮地对他喊着：

"枫——我回来了！"

声音像雨后的彩虹，一层一层在瀑布山间回荡，喊亮了光芒跳跃的每一颗水珠，喊亮了青翠欲滴的每一根小草。

"歌儿回来了——"

她笑着一遍一遍地喊！

战枫走出瀑布，深幽黯蓝的卷发濡湿地散在前额肩膀，滴答滴答垂着水珠，他右耳的幽蓝宝石在凌乱的湿发间幽幽闪光。

如歌抓起地上的蓝布衣衫，跑到他面前，巧笑着对他说：

"枫，我回来了！"

战枫凝望她，不知在想些什么，良久，才淡然道：

"是。"

如歌吸一口气，安慰自己不要难过，枫一向就不爱说话。

她仰起脸，笑得像阳光一样灿烂：

"枫，不在烈火山庄的这段日子，我一直很想你！时常会突然想到你在做什么呢，是在练功还是在吃饭，睡下了没有，有没有生病……天空很蓝我就会想到你，瞅见蓝色的杯子蓝色的碗我也会想起你……枫，我想你想到有些走火入魔了呢！"

水珠沿着战枫赤裸优美的肌肉滑落，落在地上，轻轻溅起几朵细碎的水花。他眼中的黯黑渐渐退去，温柔如天空的蓝色不受控制地涌出来。

看着他的眼睛，如歌心中柔声一片。

她晓得，当他眼底的颜色转淡，蓝色澄净而透明，就是他感到幸福快乐的时候，而颜色越重，黯黑越深，他的愤怒和仇恨就越浓烈。

她贴近他，轻灵如梦地问道：

"枫，你想我了吗？"

她呵气如兰，清甜的味道点点沁入他紧绷炽热的心底。他慢慢举起小麦色的手掌，抬起她小巧的下巴，拇指揉弄着她唇边那朵微微颤抖的微笑。

他手指的温度灼烫了她的唇。

她闭上眼睛，睫毛在如玉的肌肤上颤动，像风中旋舞的花。

澄蓝的天空。

青翠的山。

飞溅而下的银色瀑布。

耀眼的阳光中战枫紧紧拥抱住了鲜红衣裳的如歌，他灼热的唇吻上了她清甜的嘴！

他抱得她如此紧，她的腰都要折断！

他吻得她如此深，她呼吸困难到险些窒息！

如歌的世界旋转起来，无数的星星在她眼前闪烁，在枫热烈的拥抱和亲吻中，她觉得自己活得是那么鲜活，那么不可思议。

终于。

战枫放开她。

亮蓝的光芒自他眼中渐渐隐去。

他冷笑："看来你在品花楼没有学到多少本事。"

如歌惊住！

"淡而无味，就像你的人。"他残忍地嘲笑着，冰冷的口吻像刀一般劈开她方才还跳跃的心。

"啪！"

如歌一巴掌掴上他的左颊！

她的掌心火辣，怒意逼得她吼道：

"战枫！你一定要这样做吗？！侮辱我你觉得很有趣吗？刚才你吻我时的感情，你以为我察觉不到吗？我不再是一个傻呵呵的小丫头，你不要再骗我！我能感觉到你喜欢我，你从来没有喜欢过别人，你一直喜欢的只有我！"

战枫冷漠地站着，仿佛刚才被打的人不是他。

如歌握紧拳头，强抑怒火：

"战枫，我请求你，你可不可以告诉我究竟发生了什么事？！为什么在两年前，你好像一夜间变了个人，冷酷、绝情、残忍，是什么把你改变得那么多？！不要告诉我是因为那个女人，我不相信！"

战枫冷如冰雕。

如歌挣扎着控制住呼吸，低声说：

"你把一切都忘了吗？那一年，是谁三天三夜不眠不休种下满塘荷花？是谁怀抱着十四枝粉红的荷花对我说他喜欢我？是谁说会永远保护我，让我开心？难道，从一开始你就是在骗我？"

她握住他的手，捧在自己的掌心，凝视着他：

"不要故意伤害我。我会难过，心痛得像被你扯碎一样。如果你还喜欢我，请珍惜我。"

掌心中他的手，僵硬如冰。

她望住他：

"如果你不喜欢我，我会离开你。"

***   ***

长廊外。

朱亭中。

雪白衣裳的男子静然抚琴。

阳光半明半暗洒进亭中，他的白衣依然亮得耀眼。或许是周围无人的缘故，他的眉眼间有股淡淡流转的忧伤，低婉的琴声将池塘中的水荡漾得百转千回。

忽然。

指尖一挑。

清越的高音迸出，像一声惊喜的轻呼！

雪笑颜如花，映得亭子似乎金碧辉煌了起来，他对长廊上那个呆呆出神的红衣小姑娘招招手："丫头，来呀，来！"

如歌慢吞吞地走过去，在石凳上坐下："有什么事吗？"

雪瞅着她笑："见到战枫了？"

如歌瞪他："我告诉过你他的名字吗？"

"他是否惹你生气了？"

"不要到处打听我的事情。"他又不是神仙，肯定是东问西问问出来的。

"我可以教给你一些技巧……"

如歌趴在石桌上，心情沮丧，不想说话。

"……使你下一次亲吻战枫的时候，令他如痴如醉，魂不守舍……"

她"刷"地抬起脑袋！

"……绝对不会再说你淡而无味。"

天哪！如歌的头发都快竖起来了，她指住雪的鼻子，控诉他：

"你——跟——踪——我？！"

雪握住她的手指，飞快地凑到唇边啄一下，嗔道："冤枉啊，人家在这里弹了一下午琴，哪里跟踪你了。"

也对，以战枫和她的功力，如果当时周围有人，不可能察觉不出。

"那你……怎么知道我和战枫……"她脸儿微红，说不下去。

雪笑如百花尽开：

"你的嘴唇红艳欲滴，还肿了那么一些，一看就明白了。"

如歌猛地捂住嘴巴，低下头。

雪转到她的身前，席地坐下来，仰望她忧伤的小脸，轻声道：

"喂，丫头，如此不开心，索性不要他算了。"

如歌怔住。

半晌，她苦笑："我们曾经很快乐过。你知道那种彼此将对方放在心上，一笑一怒都牵肠挂肚的感觉吗？日子仿佛过得极慢，又仿佛过得极快，一切都是甜蜜而幸福的。我能触到他的心，我能感觉到他的每次呼吸。"

雪的笑容慢慢逝去。

如歌咬了下嘴唇："可是两年前，他突然将他的心藏了起来，不让我去碰。他还将一个清丽得像露珠一般的女孩子带回庄里，给她宠爱与怜惜。于是，我变成烈火山庄所有人同情的对象。"

唇上有青白的印痕，她笑："我一百次一千次地想，不要他算了，我应该是骄傲自豪的烈如歌，纠缠一个不再喜欢我的人，把我的心交给一个不再爱我的人去践踏，我恨不得将自己撕成碎片！"

"可是！"

她的眼中突然迸射出逼人的亮光，整个人像被烈火燃烧：

"我却依然可以感觉到他的心！他喜欢我，无论他做了什么，我都知道他喜欢我！应该是有什么原因，让他这样痛苦，我不晓

得，但我知道，我不可以放开在地狱中的他。我不想把我们的感情就这样扔掉，哪怕用再多的气力，我也要把它挽回来！"

雪风姿绰约地坐在冰冷的石地上，晶莹的手指托住优美的下巴，像最深沉夜色中一朵柔美的白花。他轻叹：

"想要挽回一段感情，比放弃它要难上百倍。"

如歌长吸口气，道："尽我最大的努力，去试一试。"

"所以你去了品花楼。"

"很傻，对不对？"如歌笑得不好意思，"我想品花楼是天下最出名的青楼，那里应该有很多得到男人的方法。"

"可惜你失望了。"

"是。"她苦笑，"姑娘们花样百出，但我觉得那样虚伪做作。"

"于是你选择了自己的方式——"雪低语如惋惜，"直接捧出你的心。"

如歌身子一颤。

"很直接，却最容易受到伤害。"这是雪的评语。

"你在赌，"他凝注她的眼睛，"如果他爱你，他不会忍心伤害你；如果他伤害你，他就不再爱你。"

如歌默默看着他，脸色苍白。

"如果你确信他不再爱你？"他轻柔笑问，一如寒冬腊梅花瓣上的雪。

她闭上眼睛：

"我会将他自我的心上刷去。"

*** ***

春天快要过去，夏天悄悄走近。

正值盛午，火球一般的太阳吐着炽烈的热芒。

如歌从父亲那里出来，同薰衣、蝶衣一起行走在青竹石路上。

薰衣将一把七彩描画纸伞遮在如歌头顶，为她挡去火热的太阳。蝶衣一边用绣花绢扇轻轻为如歌摇出凉风，一边抱怨道："小姐，这么热的天，应该坐轿子才对，若是热着了晒伤了可怎么办？！"

如歌无奈地看着为她忙碌的两人，停下脚步，抢过纸伞，夺来绢扇，将薰衣、蝶衣的胳膊挽起来，紧紧箍在自己左右两边。然后，她将纸伞遮在三人上方，右手轻盈地摇出足可让三人皆享受得到的阵阵清风。

薰衣、蝶衣挣扎着想离开："小姐，这不像样子！"

如歌挽紧她们，笑得悠然自得："放心，这会儿没人，如果晒着了庄里最美丽最贤淑的蝶衣姐姐和薰衣姐姐，我的罪过可就大了。"

蝶衣嗔道："去，竟然如此取笑我们，我们哪里称得上美丽贤淑。"

如歌笑吟吟："蝶衣姐姐好没羞，明知道全庄上下无数人为你的美貌倾倒，还非要我说得多么明白吗？还是薰衣姐姐大方，跟姬师兄堂堂正正地公开交往，多好！"

薰衣瞅她一眼，似笑非笑："怎么又说到我身上，看我好脾气吗？"

如歌吐着舌头，笑："我可不敢，要是惹恼了你，姬师兄非用他的锤将我砸成薄片不可！"

蝶衣忙点头附和："对呀，姬少爷可看不得薰衣受一点委屈。"

一个爆栗！

如歌甚至都没有看清楚薰衣是如何出手，蝶衣前额就挨着了一记，痛得她哎哎叫。

薰衣微笑道："话题就此结束。"

如歌同情地望望摸着额头的蝶衣，没有说话。薰衣有时候散发出的感觉，很有种不怒自威的气势，所以在她十六岁的时候就已经成为了烈火山庄侍女们的总管。她有时暗自奇怪，薰衣给她的感觉始终不像一个寻常的侍女。但是究竟奇怪在哪里，她又不能很明白地说出来。

她想着，目光无意间放得很远。

因为天热，烈火山庄里走动的丫环小厮很少，大多都回到房里午睡去了。

然而，小河边。

一个简朴布衣的纤弱女子正在吃力地洗濯着身边木桶里小山般高的衣裳。

她纤白的手指艰难地举起沉重的木槌，一下一下敲打着石头上的脏衣，每一下敲打似乎都用尽了身上的气力，伴着孱弱的低喘，细碎的汗珠缀在她苍白的额上，她虚弱劳累得仿佛是荷叶上的一滴露珠，随时会蒸腾幻化掉。

如歌望着烈日下辛苦洗衣的柔弱女子，神情逐渐凝重，她低声道：

"那是莹衣？"

蝶衣张望着看了一眼，答道："对，莹衣。"

莹衣。

这两个字令如歌刻骨铭心。

自从她来到烈火山庄的那一刻，战枫的心中似再也没有了他曾经视若珍宝的烈如歌，他的所有感情好像都给了轻忽清兮露珠一般凄婉的莹衣。

此时。

莹衣孱弱的纤躯似乎顶受不住骄阳的灼烤，她用手支住额头，喘息着闭上眼睛。

大石上的衣裳悄悄地被水卷扯着。

河面闪亮耀眼的水波。

"我记得莹衣专门伺候枫师兄，不用做这些粗重的活儿。"手中的绢扇静止，闷热的感觉堵住如歌的胸口。

蝶衣冷哼："她让你伤心，咱们就不让她好过！"

如歌惊怔道："你说什么？是因为……因为我，你们故意安排她做笨重仆妈的活儿？！"她的声音有些发颤，"你们怎么这么糊涂！"

蝶衣偏过脸，不说话。

薰衣道："是我的主意。枫少爷院子里的丫头太多，洗衣的人手却不够。"

如歌抿紧嘴唇："枫……"

薰衣静然而笑："枫少爷没有过问。"

阳光筛过竹子的细叶，洒在七彩描画纸伞上。

伞下的如歌，望着河边洗衣的莹衣，眉头轻轻皱起。

***   ***

水面映着烈日，亮晃晃荡开去，层层闪烁的涟漪，刺得人睁不开眼。

一件衣裳被河水冲得渐渐远去。

莹衣"哎呀"一声，急忙想起身，却一阵地动山摇，头晕得厉害，眼瞅着就要一头栽进河里。

"小心！"

有人扶住她。

"坐下来歇一歇，"声音清甜温暖，像盛日中的一道凉风，"你一定是热着了。"

莹衣觉着似乎有东西遮住了她，阳光不再那么刺眼，她也可以稍稍喘过气。待眩晕过去，她睁开眼睛，心中一震——

"小姐！"

华丽炫目的七彩纸伞下，红色轻衫的烈如歌扶着她的身子，离她极近，晶莹如琉璃的双眼担忧地望着她，满是关切。

莹衣惊慌地后退行礼："奴婢莹衣参见小姐！"

如歌浅笑，将伞向她移去，继续遮住她，轻声道："这会儿太热，先去歇着吧，不要累病了。"

这边，薰衣已经将河中的衣裳捞起来，拧干，送到如歌手中。

如歌没有将衣裳递给莹衣，瞅了瞅那地上满桶的脏衣，道："这些东西太重了，你一个人搬会很吃力吧，我们顺路帮你抬回去可好？"

莹衣怔怔凝望着她，如水雾般的双眸惊疑不定。

如歌对她笑一笑，俯身去抱那只笨重的木桶。

莹衣急忙去抢："不，小姐，不要……"

蝶衣蹙紧眉头，也伸手想从小姐手中将脏衣桶接过来。她心目中如九天仙女一般的小姐，怎么可以做如此卑贱的事情呢？

如歌将木桶抱起来，不理会她们二人，边走边笑着说：

"你们三个人统统加起来，都比不上我有力气，争什么呢，这里又没有外人。"以前只是远远地看过莹衣，没想到竟是如此一个可怜的女子，想必自己是不如她的吧，那么让人怜惜的女子。她心里有点难过，于是走快些，不想让她们看到。

"小姐，求求你……"

莹衣追在她身后，声音中有哀求的哭音。

"……把衣服还给我好不好……"

她凄楚的哀求像无助的梨花。

如歌吃了一惊，停下脚步，扭头看她："我只是想帮你……"为什么她一副好像受到欺凌的模样。

泪水哀伤地在莹衣脸颊上流淌，她泣不成声：

"小姐，我知道枫少爷喜欢我，使你对我有怨恨……可是，不要抢走我的衣裳好不好……没有在傍晚前将它们洗完……我会被赶出去的……求求你放过我……不要抢我的衣裳……"

蝶衣惊得说不出话，手指指住莹衣发抖："你这个贱人！小姐好心好意……"

薰衣的眼底飞快闪过一阵暗光，向身后的竹林瞟了一眼。

如歌像被人咬了一口，脸色顿时苍白，她的心缩成一团：

"原来，是我在难为你吗？"

她的双手渐渐松开，沉重的木桶自她怀中向下滑去。

莹衣却仿佛那木桶就是她的命，飞身扑过去想要接住它，她冲过去的力道如此猛，险些将如歌撞倒。

如歌本能地想去扶她——

在她的手接触到莹衣胳膊的那一刹，一股气流好似剑一般刺中她的穴道，她猝不及防，手腕一僵，却硬生生将羸弱的莹衣推了出去！

"扑通！"

莹衣整个人栽进了波光熠熠的河里！

溅起的巨大水花打湿了如歌三人的衣裳！

一切发生得那么突然！

如歌甚至还没搞明白究竟怎么了，莹衣就已经被她"推"到了河里。

紧接着——

一个深蓝的身影像闪电一般也扑入河中！

那个身影如此熟悉。

如歌静静地站在河边，一霎时，好像什么都明白了，冰冷将她全身揪紧。

竹林中。

在深蓝身影冲出来的方向，一辆木轮椅也慢慢被推出来，玉自寒一身青衣，眉宇间有担忧，沉静地望着她。

玄璜在他身后。

夏日的正午闷热如蒸笼。

莹衣晕死在地上，浑身湿透，脸色惨白，满是水珠。

战枫探了探她的呼吸，眼睛微微眯起，然后，站起身，冰冷地逼视嘴唇煞白的如歌。

如歌挺起胸脯，回视着他。

一言不发。

蝶衣急得直跺脚："枫少爷，莹衣是自己掉下去的，与小姐无关！"

"啪！"

没有人看到战枫是如何出手，只见蝶衣脸上骤然凸起一个鲜红的掌印，她嘴角溢出一丝鲜血，"轰"的一声跌在地上，昏倒过去。

薰衣蹲下去，将蝶衣的头放到自己腿上，擦拭她嘴角的血丝。

如歌瞳孔紧缩，瞪着目光森冷的战枫：

"你竟然打我的婢女？！"

她左手握拳，带着裂空风声，击向战枫面门，这一招毫无章法，只是带着满腔的激愤，向他打过来！

战枫的深蓝布衣被水浸湿，兀自淌着水滴贴在他刚美的身躯上，眼见她这一拳打来，不躲不闪，竟似等着被她打到。

拳头裂空而来——

戛然定住！

不是如歌忽然心软，而是一枝春天的柳梢。

幼嫩新绿的细细的柳梢。

柳梢缠住了她愤怒的拳头，阻止了她满腔的委屈。

如歌当然认得那是玉自寒的随身兵器——

三丈软鞭"春风绿柳"。

玉自寒在轮椅中拦住了她打向战枫的拳，对她摇摇头，他的眼睛告诉她，此时需要的是冷静，而不是冲动地让局面变得不可收拾。

如歌深吸一口气。

她放下拳，直直看向眼神幽暗的战枫：

"她不是我推下去的。"

战枫冷笑：

"那么，你说是谁？"

她急道："是有人打中了我的穴道，我才……"

战枫仿佛在听笑话：

"烈火山庄的大小姐，一双烈火拳尽得师傅真传，却轻易被他人打中穴道吗？"

如歌张着嘴，又气又恼。

纵然心里明白是怎么回事，但就算再解释下去，也只会落个撒泼耍赖的名声。她用力咽下这口气，这一局，算她输了。

她望住战枫，低声道：

"好，就算她是我推下去的，也与我的婢女无关，你将她打伤，太没有道理。"

战枫俯身抱起昏迷的莹衣，冷冷丢给她一句话：

"你也打伤了我的人，这样岂非公平得很。"

说着，他决然而去，幽黑发蓝的卷发散发着无情的光泽。

看着他的背影。

如歌心中一片轰然，烈日仿佛灼得她要晕过去，但倔强使她不愿意流露出任何软弱。

*** ***

荷塘边。

如歌沉默地望着荒芜已久的池塘，三个多时辰，一句话也不说。

玉自寒宁静地坐在轮椅中，陪着她。

接近傍晚。

夕阳将池面映成一片血红，如歌依然在默默出神。

似乎是从两年前，这池塘中的荷花恍如一夜间被抽走了精魂，忘却了如何绽放。

她用尽各种办法，找来许多花农，却总不能让荷塘中开出花来。

那满池荷花摇曳轻笑的美景，再也无法重现。

就像那个曾经在清晨送她荷花的少年，再也不会对她微笑。

花农说，将所有的藕根都拔去，将所有的淤泥都挖起，全部换成新的，或许会再开出荷花来。

但是，那有什么用呢？

如果不是他为她种下的，她要那些花做什么呢？

今年，连荷叶都没有了。

如歌忽然间不知道自己的坚持是为了什么。

如果只有她一个人在珍惜。

会不会显得很滑稽?

她轻轻抬起头,问玉自寒一个问题:

"我的努力,是有必要的吗?"

玉自寒望着她。

沉吟了一下,反问她:

"如果不努力,将来你会遗憾吗?"

会遗憾吗?

如歌问自己。

会,她会遗憾。

她会遗憾为什么当初没有努力,如果努力了,结果可能会不一样。这遗憾会让她觉得,一切幸福的可能都是从她指间滑走的。

她又问:

"什么时候我会知道,再多的努力也是没有用的?"

玉自寒温和地摸摸她的头发:

"到那时,你自然会知道。"

当一段感情给她的痛苦和折磨,超过了对他的爱,她就会知道,单方面的努力已经毫无意义。

夕阳中。

如歌趴在玉自寒的膝头。

她慢慢闭上眼睛。

只有依偎在他身边,心中的疼痛才能得到休息。

***　***

没有月亮。

没有星星。

只有夜风，阵阵吹进如歌的厢房。

如歌将一方温热的手巾轻轻敷在蝶衣受伤的脸颊上，紧张地瞅着她：

"蝶衣姐姐，还痛不痛？"

蝶衣捂住手巾，俏脸板着：

"脸上不痛……"

如歌正想吁一口气，又听她道：

"……心里很痛！"

她气恼地望着低下脑袋的如歌，只觉胸中一股愤懑之气：

"小姐，你究竟还要忍耐到什么时候？枫少爷的眼中只有那个莹衣，还值得你对他用心吗？你的坚持，除了让你自己更痛苦，还能得到什么？"

如歌听得怔了。

薰衣道："别说了，小姐心里也不好过。"

蝶衣白她一眼，又瞪着如歌："我可以不说，但是你什么时候可以清醒？！那种男人，不要就不要了，就算你将他的心挽回来，他终究背叛过你。而且，我看你也挽不回来。"

如歌咬住嘴唇。

这一刻，她感到自己动摇了。

她一直无理由地相信，战枫背叛她是有苦衷的，战枫仍是爱

她的。然而，战枫那双冰冷仇恨的眼睛，抱着莹衣决然而去的身影，就像在撕扯着她的心肝，让她痛得想哭。

这一刻，她忽然怀疑起来。

莫非，她认为战枫喜欢她，只是她不甘心下的错觉？她其实只是一条可笑的可怜虫，封闭在自己幻想的世界中，不肯面对现实。

薰衣温婉道：

"小姐，不管枫少爷是否仍旧喜欢你。他对你的心意，总比不上他自己重要。"

如歌望着她，等她继续。

薰衣笑一笑：

"他不再珍惜你的快乐，我不相信他不晓得你的痛苦。"只怕，她的痛苦，就是他的快乐。

她的话很残忍。

像一个冰窖将如歌冻在里面。

不知多久。

有琴声传来。

如歌的目光自窗户望出去。

黑夜里的朱亭中，一道柔和白光。

雪在悠闲地抚琴。

他的白衣随风轻扬，像皎洁的月光，照亮了夜空。

琴声低缓舒扬。

一点一点将如歌从冰窖中温暖出来。

似有意无意，雪对着她的方向，绽开一朵优美的笑容，眼中闪着调皮的光芒。

CHAPTER 4
LIEHUO RUGE I

傍晚。

竹林中的青石路上不时走过烈火山庄的人。

每个人都会看到小河边那个正在洗濯衣裳的柔弱女子。

她的面孔比纸苍白。

她的肩膀比纸单薄。

她的身子虚弱到可以被河水卷走。

她旁边的木桶堆满了脏衣裳。

汗珠像露水一样缀在她的额角，让看到她的每个人都怜惜得心痛。

如歌静静地来到她身后，打量她纤瘦的背影。

清纯得像荷叶上的露珠，清忽轻兮惹人怜。男人喜欢的都是这一类女子吗？她忽然想起了品花楼中的香儿。

莹衣回转头，对她温柔地笑：

"小姐。"

如歌也笑一笑，坐在她身边，与她只隔着那个脏衣桶。

夕阳金黄。

小河潺潺。

如歌望着粼粼水波，说道：

"我的轻功是父亲传授的，虽然未得精髓，但寻常之人绝听不出我的脚步声。不晓得莹衣姑娘居然也会武功。"

莹衣洗衣裳的双手僵住。

半晌，她望着如歌晶莹的小脸，含笑道：

"我哪里会什么武功，是枫少爷见我体虚传我一些粗浅的功夫。"

如歌惊讶：

"哦，粗浅的功夫就能以气当剑制住我的穴道，使我助你演出一场让人同情的好戏，莹衣姑娘果然天纵奇才，可喜可贺。想必你额头的汗水也是用那粗浅的功夫逼出来的吧。"

莹衣眼底暗光连闪。

如歌直直凝望着她。

终于。

莹衣莞尔一笑："不错，你远比我想像中聪明，只可惜你还是输了。"

如歌不语。

莹衣的声音低如水波："你是高高在上的千金小姐，我是命如草芥的下贱丫环，可是，你也不过是个失败的女人，连心爱的男人也被我夺走。不管我使用的是什么手段，只要我得到了我想要的，我就是胜利者。"

她又道："就算你告诉别人当日不是你推我下水，除了玉自寒，烈火山庄又有谁会相信？枫少爷早已不将你看在眼中，我才是他要的女人，你只不过是条可怜虫。"

河水映出莹衣冷笑的脸。

她柔弱的背影却挡住了众人的视线，只有如歌沉静地凝望着她。

"烈如歌，你在恨我对不对？"莹衣的声音压得很低，仿佛一把锐利的刀子向她刺去，"告诉你，我也恨你。你凭什么是天之娇女，受众人宠爱？除去你是烈明镜的女儿，你有哪一点比得上我？凭什么一切好东西就都该是你的？无论是容貌还是智慧，你比起我来都差得多。"

如歌吸一口气。

微笑。

笑如百花齐开。

"谢谢你，莹衣。"如歌对她笑，"谢谢你帮我作出了一个决定。"

莹衣不料她有这样的反应，怔住。

"我一直以为你是一个很让人怜爱的好姑娘，战枫喜欢你或许有他的道理。可是，"如歌又是一笑，"没想到他也不过是个笨蛋白痴，会喜欢你这样的女人。放心，我决不会去喜欢一个笨蛋白痴的男人，也不会去和你抢，反而要谢谢你。"

没有见到如歌伤心的表情，莹衣恍若挥出去一拳打了个空。

小河映着柔黄的夕阳。

水波一圈圈。

如歌的手指拨弄着河水：

"我在品花楼住了一个月，想要看一看如何得到一个人的心。那里的姑娘们出尽百宝，捉摸男人的心思，投其所好，装扮成他们喜欢的样子。我一直想，即使她们成功了，男人们喜欢的究竟是她们本身还是她们装出来的样子。可是，这个问题对她们无关紧要，因为她们要的是银子。你呢，莹衣？"

莹衣攥紧手中的脏衣裳。

如歌微笑：

"对，我是一个幸运的人，一出生就过着衣食无缺的幸福日子，你的出现是我遇到的最大的打击。可是，我一点也不恨你，你的所作所为也无非是想要得到幸福，虽然你的手段我不敢恭维。如果要恨，我也只会去恨战枫，他为什么要用你来侮辱我。"

她站起来。

莹衣气得身子颤抖。

如歌居高临下地看着她："我不用去伪装，所以我总是比你幸福，如果有人喜欢我，也是喜欢真正的我。希望你好运，可以将笨蛋战枫永远欺骗下去。"

莹衣也站起来，颤抖地说：

"你在撒谎！我知道你在妒恨我！"

如歌笑着摇摇头：

"你错了。为了证明真的不恨你，我可以送给你一个礼物。"

莹衣不明白她在说什么。

这时。

"啪——"

一个耳光抽在莹衣右颊上，火辣辣地顿时肿了起来。

如歌轻声道：

"看，多好的礼物，你又成了世上最让人同情的女子，可以扑进战枫怀里流泪哭诉。唉，因为会被看见，所以不能躲不能还手，好可怜的莹衣啊。"

莹衣捂住右颊，果然见青石道上有人望过来，她只好眼睁睁看着如歌微笑离开。

如歌将莹衣甩在身后。

手掌微热。

心中五味杂陈。

替自己和蝶衣出了一口气，但那种撕裂般的痛苦丝毫没有减轻。

*** ***

清晨的朱亭中。

纯净的阳光将抚琴的雪映得仿佛透明。

白衣耀眼。

长发柔亮。

他美丽得好像传说中的仙人。

红玉凤琴在他灵动的指间恍若有着生命，流淌出优美的曲调。

如歌趴在木窗上。

远远望着他出神。

看见雪，就想起在品花楼的那一段日子，她满怀着希望，鼓足了精神，想要知道为什么从青楼出来的莹衣可以轻而易举地就得到了战枫的心。

为了不甘心于失败，她甚至将雪带回了烈火山庄。

可是，她的努力显得那么可笑啊……

"小姐，"蝶衣站在她身旁，也瞅着窗外发愣，"雪公子美丽得不像凡人啊。"

如歌微笑："是啊，他真的很美。"

用美丽去形容一个男人，可能有些过分。但是对于雪，似乎这个词再适合不过。

"他是哪里人呢？为什么会来烈火山庄呢？"

蝶衣追问。

如歌怔住，奇怪，这些问题她好像从来没有想过。雪的出现，雪认定要跟随她，就好像是一场梦一样，很突然地就发生了。

薰衣听见她们的对话，沉吟道：

"会不会是他知道小姐的身份，才特意跟来的？"

蝶衣睁大眼睛："你的意思，雪公子知道小姐是庄主的掌上明珠，才有意……"

"不是。"

如歌摇头，阻止她们再说下去。

"雪不是那样心机很重的人。"无缘由地，自见雪第一眼，她就有种似曾相识的感觉，他自有奇怪的地方，可是，应该不会伤害她。

薰衣温婉地笑："还是小心些好。"如歌对任何人总是毫无戒备地信赖，她不晓得烈火山庄的大小姐在江湖上有怎样的地位。

"好。"

如歌知道薰衣在担心，于是对她回眸一笑。

"小姐，雪公子在对你招手呢。"蝶衣轻呼。

如歌望去。

雪的眼中闪烁着阳光的气息，妩媚地笑入她的眼底。

他的右手食指对她轻盈地弯曲——

来呀，丫头。

快来呀。

朱亭。

湖水泛着晨光。

如歌支住下巴，打量自顾奏琴的雪。

他好像忘却了她的存在，沉浸在琴的世界里。

终于，她忍不住出声：

"喂，你让我过来做什么？"

雪轻轻瞟她，好像她是一块千年朽木："如此优美的琴曲，你居然还会分神？"

"哪有人自己夸自己的？"如歌白他一眼。

雪宛然叹息："牛嚼牡丹，不解风雅。"世间多少人为聆听他一曲，可以千里追随，可以一掷千金，偏偏这个丫头好像少了根弦。

"你就是为了让我听曲子吗？"如歌站起来，"那我还是回去好了，在屋里也可以听得到。"

雪气结：

"臭丫头，人家是为了让你心情好一点才大早起就抚琴的！"可怜他睡眠不足，对绝美的容颜是有损伤的啊！不知感激的臭丫头！

如歌呆住。

"咦，你是为了我吗？谢谢你。"

雪满意地笑，他的苦心啊……

"可是，"如歌接着说，"听你弹曲子心情就会好吗？又不是仙曲，怎么可能嘛。"真可怜，雪一定是被人吹捧惯了，以为"琴圣"就是神仙吧。但就算真是神仙，也不能解决所有的问题啊。

雪险些吐血，指住她：

"你——"

啊，他耗费的心神！他可媲美仙音的琴曲！

如歌瞅着他，忽然皱起眉心：

"雪，你为什么跟我回烈火山庄？"

食指在琴弦上一拨，雪没好气地说：

"为了帮你啊。"

"那么我没有记错。"她答应他跟来，是因为他许诺可以帮助她挽回战枫渐渐远去的心。可是——

如歌瞪着他："你帮我了吗？"他只是每天潇潇洒洒地奏琴，好像早把说过的话忘到了脑后。

雪笑嘻嘻。

"没有。"

如歌臭起脸："那你当初对我说……"

"我骗你的。"

雪脸上的笑容灿烂得让人想打一拳。

多么无耻的人，说出这样的话居然连一点羞愧也没有！

如歌气不成声：

"你怎么可以骗我？！"

"不骗你，你会让我跟着你吗？"

听啊，多么理直气壮，多么理所应当！

如歌气得脑中一片空白。

雪笑如一波碧水，讨饶地扯着她的袖子：

"喂，你生气了？"

如歌仰头看天。无信无义的小人，才不要理他！

"真生气了？"雪吐吐舌头，趴到她面前，"不要生气了好不好？生气的女人会很丑哦。"

如歌不理他。

雪叹息：

"其实，你已经不用我去帮助你了不是吗？战枫那样的男人，认准的事情谁也改变不了。"

她心中顿时寂静。

"战枫让你难过，不要他算了。"雪贴近她，呵气如幽兰，"你还有我啊。"

如歌推开他的脸，板着面孔：

"我用不用你帮忙是一回事，你有没有骗我是另一回事！"

雪嘟起嘴：

"你好小气啊。"

如歌瞪他："是，我就是小气，怎么样？！"

雪委屈极了，一双美目水汪汪落下串串泪珠，眼圈红红，声音哽咽：

"你让我伤心了……"

"我——"

她欲哭无泪,天啊,怎么看起来好像是她在欺负他!

雪泪眼盈盈:

"你为什么不问我为什么骗你?"

"好,"她吸一口气,"你为什么骗我?"

雪破涕为笑:

"因为人家喜欢你嘛,如果不撒个无伤大雅的小谎,你不会让人家追随你的。"

如歌四肢无力,败给他了,他哪来这么多歪理。

"你为什么不问人家为什么喜欢你?"

她不想问了,拔腿就走。

雪的笑声像阳光中的湖水:

"你不敢听吗?是不是怕自己会喜欢上我啊?!"

她一阵寒意。

原来在盛夏也会被冷出一身鸡皮疙瘩。

才要踏出亭子,如歌突然怔住。

她看到从南面路上行来一队神色匆忙的人。

共有十二人,服饰讲究,气势威武,抬着一辆杏黄软轿,轿帘为黄色软缎,质料绝佳。

为首的两个人,一个少年白头,面容冷峻,一个中年红面,又高又胖。

她见过他们三次。

少年人叫白琥。

中年人叫赤璋。

他们每次来做的都是同一件事情——

接玉自寒出烈火山庄!

***　　***

夜晚。

长廊上。

一挂薄如蝉翼的碧玉铃铛。

碰撞着，丁当着。

随着风的方向飞舞。

玉自寒一身青衫，沉静地坐在轮椅中。

他的眼中有凝重的神色。

手掌却轻缓而温柔。

红衣裳的如歌趴在他的膝头，忧伤地让他拂弄着头发，心中充满不舍之情。

她的小脸仰向他：

"又要走了吗？"

玉自寒拍拍她的脑袋。

"不想让你走。"

她低下头，揪住他的衣衫，攥成一团。

"有你在这里，不管发生什么事情，我都不会特别害怕。你会保护我，安慰我，你会让我的心不那么难过。"她闷闷地说，"我有种很不好的感觉，你这一走，很多事情都会不一样了。"

玉自寒托起她的下巴。

看不见她的脸，他不知道她在说些什么。

如歌顺着他的手抬起头，用力笑得灿烂：

"出庄以后要好好照顾自己啊！有什么不开心的事情，记得要告诉别人，不要把所有事情都埋在心里不讲出来。不想说话，可以用写的啊。还有，不要太累，不想做的事情就不要去做，你有时候太过要求完美了，那样会很辛苦的！"

玉自寒的微笑像温玉一样光润。

如歌推推他："不要笑，快答应我啊。"

他点头。

"好。"

她松一口气，知道凡他答应的事情必会努力做到。就像小时候，又聋又哑双腿残疾的他孤僻又敏感，对她的任何接近都抗拒排斥，后来，她软硬兼施再加眼泪攻势，逼他答应学读唇语、学讲话、学着跟大家交流，他允诺了，并且就用心努力地做，连每一个字的发音都要做到准确完美。

"叮——"

玉铃铛清脆地飞响着。

在夜色里透明玲珑。

如歌笑：

"要带它一起走吗？"

那是很久以前她买给他的，让他可以"看到"风的声音。

每当玉铃铛起舞。

就是风在歌唱。

玉自寒微笑："对。"

带着这串铃铛，就像把她带在身旁。

"还会回来吗？"

她问出了最担心的问题。

玉自寒不语。

他不知道。

很多事情不是他能够决定的。

"还能再见到你吗？"

她很忧伤。

玉自寒望着她，眼底有光芒流转：

"会想我吗？"

声音比玉铃铛的呢喃还轻。

如歌用力地点头：

"会！我会很想很想很想很想想你！而且——"她好像突然想开

了，笑起来，"师兄，如果你不再回烈火山庄的话，我会去找你

的！"

她的话是世上最可爱的表情。

这一刻。

玉自寒希望可以听见她的声音，那样，他会是幸福的人。

他从腰间解下一块雕龙的羊脂玉佩，放入她掌中。

"用它可以找到我。"

她把玉佩收起来："啊，那我一定要将它放好。"

夜，越来越深。

夜风带来湖水的凉意。

玉自寒还有一件事情不放心。

他看着笑吟吟的如歌，不晓得怎样讲才合适。

如歌哪里会不知道他在担心什么。

于是站起来，绽放出山花般最具生命力的笑容：

"师兄，你放心，我不会被打倒的！"

她笑得很骄傲：

"我可能会伤心，可能会难过，可能会哭，可能气得想打人！但是，我不会被打倒！每个人都会遇到挫折，我一定要努力活得很好！"

***   ***

烈火山庄。

气派辉煌的厅堂。

丝竹声声。

亮如白昼。

玉石阶前，已铺起了红毡，尽头一座玉案，一张锦椅，是庄主烈明镜的位子。

下面左右两旁，各有一张长案，案上自然都是金盘玉盏，极致华贵。

这是烈火山庄各堂堂主每月一次进庄汇报的日子。

以前这样的场合，如歌是鲜少参加的，但这次烈明镜坚持要她出现。

厅堂中的人很多。

从烈明镜右手边起。

第一位是烈火山庄的大弟子战枫。

战枫一身深蓝布衣，微卷的头发幽黑发蓝，他的眼睛同他右耳的宝石一起闪动着幽蓝的暗光。他慢慢喝着酒，身子坐得极直，心神仿佛不在这里。

第二位是主管刑罚奖惩的炽火堂堂主裔浪。

从没有人见过裔浪的笑容，他仿佛野兽一般，一双死灰色的眼睛，面容带着残忍的线条。他究竟有多大，什么出身，为什么对烈明镜那么忠心，是武林中始终破解不了的谜。

裔浪没有喝酒，目光紧紧跟随着烈明镜的一举一动，好像只要烈明镜在场，他的心中就不会有第二件事情。

第三位是主管钱财收支的金火堂堂主慕容一招。

慕容一招手，金银逃不走。他好像陶朱再生，对生意买卖有天赋的才能，在他的经营下，烈火山庄的生意遍布大江南北，金银财富如雪球般越滚越大。除了朝廷和江南龙家，天下再没有比烈火山庄的财富更雄厚的。

慕容一招笑眯眯地夹着菜吃，笑眯眯地同身旁的凌冼秋寒暄。

第四位是主管培养新血的明火堂堂主凌冼秋。

凌冼秋年约三旬，却长了一张娃娃脸，看起来说不出的可亲。烈火山庄各堂新近的弟子都要首先经过他调教，合格者方可加入。他从各地挑选出资质一流的苗子，尽心栽培，源源不断地为烈火山庄输入新血。

他没有喝酒，也没有吃菜，聚精会神地听慕容一招说话。

从烈明镜左手起。

第一位是烈火山庄的三弟子姬惊雷。

以前都是玉自寒坐这个位子，但随着他的离庄，姬惊雷递补

上来。

姬惊雷高大健壮，目若流星，心直口快，正义感极强，在江湖中素有侠名。他的武器很特别，是一双重约八十斤的流星锤，使起来却轻盈如风。

他酒量极大，抱着一坛子酒，大口喝着。

第二位就是如歌。

她一身鲜红的衣裳，映着晶莹的玉肤，一双乌溜溜的大眼睛灵动而俏皮。她的手指捏着玲珑的酒杯，放在唇间，犹豫着要不要喝下去。

酒很辣。

她觉得并不好喝。

可是，从宴席开始，战枫就一杯一杯不停地喝。

他喝的速度不快，然而不停喝下去，也喝很多了。

而他平日并不是一个嗜酒的人。

正犹豫中。

如歌的酒杯忽然被一只水仙般纤美的手夺过去。

雪陶醉地品饮：

"好香啊……"

如歌瞪他："你面前不是也有酒吗？"

雪笑得妩媚：

"可是只有这只酒杯碰过你的唇啊。"

她不知该生气，还是该不理他，整日里被他这样似有意无意地捉弄，神经早已经麻痹掉了。

雪笑吟吟地凑近她：

"丫头，你用的唇红是桂花香味吗？好甜蜜。"

如歌气得两颊晕红：

"快闭嘴！"

雪笑得打跌：

"瞧啊，害臊了呢！"

他的声音清润好听，四周的人都不觉望过来。

战枫也抬头。

他的眼神深暗无底，在如歌绯红的脸颊上扫了一下，身子似乎有些僵硬，但立时又冷漠地继续饮酒。

如歌看他的时候。

就只见到他右耳黯蓝的宝石。

这二人的神态均落入烈明镜的眼中。

他拂须而笑，脸上狰狞的刀疤也奇异地慈祥起来。他挥手命乐班停止奏乐，让舞者全部退下，望着立时安静下来的烈火山庄众人，说道：

"今晚趁大家在庄里，有一件喜事要宣布——"

如歌看着父亲，突然间——

感觉到他要讲的是什么！

她的心猛地揪起来！

不对！

这个时机不对！

她冲口而出——

"爹！"

如歌的喊声在安静的大堂显得分外突兀！

烈明镜侧目看她，等她继续。

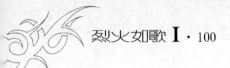

世上只有一个人可以在他说话的时候打断他，那就是他视若掌上明珠的女儿。

裔浪冰冷地盯紧如歌。

没有人可以在烈明镜说话时打断他，哪怕是烈明镜的女儿。

"爹……"

如歌的心好像被几十双手撕扯着，她想阻止父亲，但是——

她又不想阻止。

战枫仿佛无动于衷。

幽蓝的卷发闪着暗光。

他在喝酒。

如歌吸一口气，该发生的，总是要发生，与其拖得时间更长，不如就这样好了。

她的手握起来。

指甲抵住掌心。

"爹，你接着说吧。"

烈明镜朗声大笑，雪白的须发浓云般扬起：

"枫儿和歌儿从小青梅竹马，感情甚笃，如今他们都已经长大了，我宣布——下个月他们成亲！"

如歌坐在那里，忽然觉得寂静得古怪。

她可以看见父亲在说话。

她可以看见姬师兄欣喜地对她祝贺。

她可以看见众人开心地大笑。

她甚至可以感觉到右手边的雪突然将酒洒出了酒杯。

可是，她听不见他们的声音。

却能听到远处那个荒芜的荷塘中此起彼伏的蛙叫。

她觉得静极了。

她用所有的呼吸去等待对面的战枫。

战枫。

在一片恭喜之声中。

缓缓抬头。

一双黯黑的眼睛。

深蓝已然退尽。

幽蓝的宝石透出死亡的气息。

他冷冷望住开怀的烈明镜，声音冷硬如刀——

"不。"

如歌听到了。

她的心——

一直一直向下沉……

她以为她会痛苦，她以为她会被痛苦一寸寸剐掉，可是，她
僵冷的身躯居然连痛苦也不再能感觉到。

*** ***

那一刻。

月光下。

青衣的玉自寒轻轻抬起头，望向烈火山庄的方向。

他在庭院里，坐在轮椅中，清俊的面容淡若远山，明净的眼中染着牵挂。

仿佛有风。

树木上悬挂的碧玉铃铛，丁当脆响，初而零散，既而狂乱，挣扎呻吟呐喊。

然后寂静。

"叮——"

铃铛中那颗玲珑的心，似一道寒光窜过，顷刻间炸成碎片，千片万片，每一片都小如微尘，晶晶闪光，向天际飘去。

玉自寒伸出修长的手，柔声召唤。

晶光们跳跃、犹豫、踯躅……

手掌怜惜地微拢，将那些碎屑呵护在掌心，流光溢彩的晶芒闪闪流淌，像一曲哀婉的歌。

"他，仍是伤了你的心吗……"

玉自寒叹息。

风，将玉自寒的青衣吹向烈火山庄的方向……

*** ***

烈火山庄。

烈明镜的眼睛危险地眯起来：

"枫儿，你知道你在讲什么？"

人间烈火，冥界暗河。

随着暗河宫隐出江湖，烈火山庄的命令就是天下武林不可违抗的意旨。

烈明镜说出的话，没有人可以违抗。

战枫冷笑。

笑容带着十二分讥诮。

"不！"

他重复一遍，声音不高，但在场的每个人都可以听得清清楚楚。

众人的脸色为之一变。

烈明镜的三个弟子中，玉自寒身有残疾，武功难以练到极致；姬惊雷一双流星锤威力惊人，独步武林，但可惜性格火暴易冲动，难以服众；而战枫，年纪最轻，却身为大弟子，一把天命刀使江湖中人甘为臣服，兼之他性格坚忍，遇事指挥若定，庄内众人皆认为他将是下任庄主。

但是，他居然当众违抗烈明镜！

姬惊雷虎躯一震：

"枫师兄，你今晚喝得有些多了。"

战枫好像没有听见。

冰冷对视烈明镜。

烈明镜雪白的须发烈烈怒扬，脸上的刀疤狰狞入骨。

他横目道：

"知——道——后——果——吗——？"

战枫冷哼。

裔浪死灰色的眼睛看着战枫，像看一只狗：

"违抗庄主命令者，废掉武功，逐出烈火山庄。"

寂静如噩梦。

战枫站立于席间，刚美的身躯像遗世独立的孤煞，幽黑发蓝的卷发无风自舞，亮光中，他的眼睛黯如漆黑的夜，只有右耳的宝石，是惟一的光芒。

如歌看着他。

仿佛置身于一个距离他十分遥远的角落。

她不认识这个战枫。

她的战枫，是那个在漫池碧叶的荷塘边，怀抱着十四朵盛开的荷花，会羞涩，会紧张，会对他爱恋的少女说"我会永远保护你"的少年。

烈明镜强压下怒火，瞪视孑然傲立的战枫：

"理——由——！"

他的怒吼使大厅内所有的门窗刹那间被震裂！

夜风呼呼地灌进来！

战枫在风声中，极轻极轻地望了眼如歌。

如歌面容苍白。

嘴唇褪尽了血色。

一丝柔亮的黑发飘在她耳畔。

但她的眼睛。

倔强，毫不屈服！

她直直凝视他，眼睛眨也不眨，她要听！

她要一个理由！

好挖掉这颗心！

是亘古的悠长……

还是呼吸的急促……

战枫道："因为我不喜……"

心，灰飞烟灭……

这五个字……

多么轻易的五个字……

如歌强忍住突如其来的颤抖。不可以！不可以脆弱！不可以在伤害她的人面前表现出她的脆弱！如果她胆敢哭出来，她宁可去死！！

"因为我不喜欢他！"

一个声音打断战枫。

那声音有些发抖，有些歉疚。

是从如歌口中发出来的。

她的笑容一开始有些颤抖，但慢慢地，笑容越来越大：

"因为我不喜欢战枫！"

她挺起胸脯，笑着对烈明镜解释：

"爹，对不起，我原来喜欢枫师兄，可是，现在我不喜欢了。"

她只看着父亲：

"枫师兄知道我不再喜欢他，所以才说不的。是我对不起枫师兄，我不喜欢他，我不要跟他成亲。"

气氛顿时变得诡异。

这样一来，违抗烈明镜的变成了他的女儿。

战枫的卷发像被夜风吹动，张扬地飞舞，深蓝涌进他的眼底，他又望了如歌一眼。

如歌红衣雪肤，脸上有笑容，嘴唇却倔强地抿着。

她的眼睛比六月的太阳更明亮。

明亮得可以将他的心灼出一个黑洞。

她没有看他。

她好像再也不会看他。

战枫眼中的深蓝，直欲将黯黑吞噬。

"歌儿"，烈明镜眉心深皱，一种复杂的神情使他忽然显得有些疲惫，"你不用维护战枫。"

如歌笑：

"我哪里是在维护枫师兄，我是在维护我自己。"

烈明镜仔细打量她。

如歌轻笑道：

"爹，不要让我嫁给枫师兄好吗？因为我不再喜欢他……"

"她喜欢的是我。"

轻若花语的声音微笑着扬起。

众人循声望去。

一个轻笑的白衣男子，耀眼优美如雪地上的阳光，他似乎是会发光的，一时间令众人惊艳到睁不开眼。

一种空灵的星光。

一种极美的风致。

像清晨的朝雾，游走在雪举手投足间。

雪笑得极慵懒，轻柔地搂住如歌的肩膀，妩媚地呼吸她身上的甜香，眼波如水飘向烈明镜：

"有了我，她怎么还会喜欢战枫呢？"

烈明镜的眼睛微微眯起来。

他看着雪，突然好像一惊，想起了很多事情，诡谲的光芒在他眼底闪烁。

雪……

这个歌儿带回庄的男子，莫非竟会是……

他沉吟不语。

如歌一动不动，任由雪拥着她的肩膀。

她望着裔浪：

"裔叔叔，我违抗了父亲的命令，甘愿接受庄规惩罚。"

裔浪灰色的瞳孔收紧。

他怎会不知道如歌在烈明镜心中的地位，如果将她逐出山庄，第一个痛苦的就将是烈明镜。

众人也面面相觑。

气氛正古怪中。

雪笑颜如花：

"哪里会有惩罚呢？你只是在跟自己的爹诉说女儿家的心事，告诉他你另有心上人了而已。如果这样都会受到惩罚，那你爹也太不近人情了吧。"

慕容一招急忙大笑附和：

"哈哈，对嘛，哪家的儿女不会跟父母有意见相左的时候呢？大哥，你骂她几句就算了，不要跟小女孩儿家斗气了。"

凌冼秋微笑：

"大哥，如歌有心事肯坦诚相告，有这般不扭捏造作的孩子，是大哥的福气啊。"

姬惊雷直视烈明镜：

"师父，不要责怪如歌！"

烈明镜扭头看向裔浪：

"浪儿，此事由你裁决。"

裔浪面无表情道：

"小姐在同父亲讲话，而不是庄主。"

烈明镜抚掌大笑：

"好！好！"

夜风凉凉吹来。

厅堂中忽明忽暗。

如歌觉得全身的力气都被抽尽了，不由有些虚软。

一只手扶住了她。

她轻轻看去——

雪一如既往顽皮的双眸，却似乎有种深邃的感情。

CHAPTER5
LIEHUO RUGE I

月亮被云彩挡住，夜空昏黑而无光。

荷塘中声声蛙叫。

在寂寥的夜色中显得分外空旷。

如歌抱着膝盖坐在荷塘边，径自望着空无一物的水面发呆。

她觉得有些凉。

不由将身子蜷得紧一些，阻止寒气向她的胸口窜。

不知过了多久。

一个白色的身影轻轻坐到她身边。

如歌立时将身子挺直，扭过头去，对那个耀眼的如花男子微

笑：

"多谢你帮我。"

在无月的夜晚，雪的面容仿佛会发光，轻笑："如何谢我

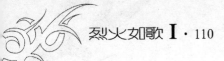

呢？"

如歌微怔。

雪笑得妩媚："说要谢我，不能没有诚意啊。"

如歌道："你说，我做。"

雪张开双臂，微微搂住她的肩膀："我要你在我的怀中哭一场。"

如歌僵住。

半晌，她抬起头笑："为什么要哭呢？"

"不行，你答应我了。"雪有些生气。

如歌叹息，将脑袋缓缓倚到他的怀中。他的白衣似乎沾染了夜的凉气，有冰冰凉凉的味道，又似冬日的花香，又似春夜的飞雪。

雪将她搂在怀中，轻轻闭上眼睛。

无论如何，她在他怀中，一切都忽然间那么美好。

至于那个诅咒。

比不上她在怀中的感觉。

月亮在云中，透出一点点光亮。

如歌推开他："可是我真的哭不出来。"

雪沮丧地垂下双手："你明明很伤心，为什么不哭呢？"

如歌想一想，笑："或许，是疼痛的时间太久了吧，所有的鲜血都已经痛得凝结，等刀子捅上来的时候，血却流不出来了。"

雪生气道："战枫那么让你喜欢吗？！"

如歌苦笑道："如今说这些都没有意义了。"

"你不再喜欢他了？"

雪的眼中有一种喜悦的光芒。

如歌盯着荒芜了三年的荷塘，慢慢道：

"等我做完最后一件事情。"

那晚，如歌一夜没睡。

她守着那个荷塘，似乎在等待它一夜间开出映红天际的荷花。可是，奇迹没有出现，一朵荷花也没有，甚至连荷叶也没有踪迹。

雪在她身边静静睡去。

当第一缕阳光破晓，如歌静悄悄地离开睡得像孩子一样的雪，离开了荷塘。

*** ***

清晨的露珠从树叶滑落到如歌的眉毛上。

她怀抱着一个精致的木盒子，站在战枫的屋门外。

敲一敲门。

门"吱呀"一声开了。

战枫身上有浓浓的酒气，深蓝的布衣有些污迹，似乎曾经呕吐过。见到如歌，他的眼睛忽然亮蓝得可怕，右耳的宝石发出鲜亮的光芒。

他的声音有些沙哑："是你。"

如歌抱紧木盒子，对他笑得云淡风轻："可以进来吗？"

他闪开，让她走进去。

屋里还是一样的简朴，什么多余的摆设和装饰都没有。

只有一张床，一张桌子，一条长凳。

还有一股浓烈的酒气，窗下凌乱地堆着几只酒坛子。

她在长凳上坐下，将木盒子放在桌上，眼睛无意中看到了放在床下的一双鞋。

白底蓝面，用的是麻线，针脚很密，不十分工整，却来来回回缝了两趟，为的是能够更结实些。她知道，在这双鞋底有一处暗褐色，那是三年前她做鞋的时候他突然进来，为了给他个惊喜，她慌忙藏躲间不小心让针扎破了手。

鞋上有她的血。

他却一次也没有穿过。

如歌将视线收回来，笑容有些单薄："你还留着这双鞋？"

战枫望着那双一点尘埃也没有的鞋，沙哑道：

"是。"

她笑："应该把它扔掉了。"

"是。"

沉默。

然后她皱眉，轻轻吸气："你知道我来找你做什么吗？"

他眼神黯如大海："你不该来。"

她笑，笑得有点呛咳："战枫啊，难道离开的时候你也要如此冷酷吗？"

战枫笔直地站着。

看不出任何一丝情绪的波动。

如歌轻轻抚摩桌上的木盒。

她的声音很凉："从很小开始，我就喜欢你。你站立的样子，你走路的样子，你吃饭的样子，你说话的样子，你习武的样子，你安静的样子……我喜欢追在你后面跑，你去哪里我去哪里……究竟喜欢你什么呢？喜欢你哪一点呢？我也忘记了。只知道很喜欢你。"

战枫一动不动。

如歌忽然一笑，瞭着他："战枫，你究竟有没有喜欢过我呢？"

战枫的拳头在身侧握紧，他的指骨煞白。

如歌又问："你曾经喜欢过我吗？"

战枫似乎再也站不住，走到窗前，将深蓝的背影留给她。

如歌望着他，觉得好笑极了：

"你可以在众人面前说不喜欢我，现在却说不出来了吗？"

她站起来，走到战枫身后，用力把他的身子扳回来，直视着他的眼睛，怒声道：

"说啊！昨晚你的话并没有说完，这会儿全部说出来让我听听！"

她的双手抓住他的胳膊。

他的身子僵硬如铁。

"说啊！"

她摇晃他！

战枫冰冷而执拗，酒气翻涌着眼底的幽蓝，望着她，他的呼吸逐渐急促起来，蓦地，一把抱紧她，僵硬的嘴唇吻住她愤怒的表情！

如歌挣扎！

战枫却仿佛将她箍进了骨头里，绝望放纵地亲吻她！

他吞噬着她的双唇！

他用的力气那么猛烈，似乎用全部的感情要将她吻成碎片！

他压着她的头，吸吮着她口内所有的汁液！

他的眼睛狂暴如飓风中的大海！

如歌用力去咬他！

血腥冲进两人的口中！

鲜血——

从他和她交织的唇间滴答着落下……

战枫却依然死死吻着她，满腔的绝望让他宁死也不肯放开她！

如歌挥拳！

拳头愤怒地打在他胸口！

他被击出三尺远，"哇"的一声呕出鲜血，沾染在蓝衣上，涌血的嘴唇已分不清哪些是被她咬出的，哪些是被她打出的。

战枫吐着血，残忍地大笑："又试了一次，你还是淡而无味！"

如歌怒吼——

"战——枫！"

空气染着血腥凝滞！

蓝衣的战枫，红衣的如歌，地上是一滩新鲜的血渍……

清晨。

有鸟儿轻唱。

有细风凉爽。

树叶仿佛新生的一样，抖动着风的笑声。

屋里的如歌，扭转头。

她拿起桌子上的那只木盒子，轻轻打开它，里面是一叠干枯的荷花。

这些荷花曾经是她的珍藏。

她放在阳光下仔细晒干，小心翼翼地一朵一朵将它们收藏在盒子里。

它们是那个少年对她的心意，漫池碧绿的荷叶中，怀抱荷花的少年羞涩地吻上她的脸颊，对她说，他会永远保护她。

她曾经那么珍惜这些荷花。

可是，她突然间发现，这些只是荷花的尸体。

暗淡无光的花瓣，没有了生命，干枯脆弱，十四朵荷花的干尸，比起窗外勃勃生机的花草，显得那样丑陋。

如歌望着战枫：

"我来，是为了将你送给我的这些荷花还给你。把它们还给你，你我之间就再也没有什么牵绊。"

清晨的阳光照射在她倔强的脸上：

"从此以后，你只是我的师兄，我只是你的师妹，除此之外，你我再不相干。"

一阵风从窗户吹来，呼啦啦将木盒中的荷花卷出来。

荷花轻薄易碎，被扬得漫天飞舞，碎花屑悠悠飘坠在战枫的脸上、身上，那样轻，轻得好像不曾存在过，轻得好像可以将战枫的生命带走。

在荷花的风中，战枫幽蓝色的狂发翻飞，愤怒挣扎；眼睛被痛苦填满，汹涌得像大海；痛苦像刀凿斧劈一样刻满他的五官，锥心的刺痛翻绞他的内脏，他咬紧牙，不让呻吟泄露分毫。

为什么听到她的话，他的心会有斯咬般的痛楚呢？

为什么他冲动地想疯狂摇晃她，逼她把方才的话收回去？因为她的话让他崩溃，让他痛苦得想去死。

如果此时如歌看他一眼，一定会感到奇怪。

如果她看了他，或许就不会那样走出去。

然而，如歌没有看他。

从说完刚才那句话，她好像就永远不会再看他。

如歌走到床边，弯腰将那双白底蓝面的鞋捡起来，自语道："这个也应该拿走。"

就这样，她拎着一双鞋，从战枫身边绕过去，走出了那间屋子。

走出了战枫的院子。

走到荒芜的荷塘边时，她将那双鞋扔了进去。

***　　***

"当当当当！"

刀在案板上飞舞，土豆丝又细又均匀。

如歌满意地擦擦手，瞅一瞅神情古怪的薰衣和蝶衣，笑道："怎么样，我的悟性蛮高吧，这切菜的功夫都可以到酒楼帮下手了。"

蝶衣皱紧眉头，小姐是不是被刺激到神经错乱了，几天来整日待在灶房中，央求师傅们教她厨艺。刚开始师傅们哪里敢当真，只是敷衍她，后来见她果然学得用心，便也教得仔细起来。

到如今，如歌居然学得像模像样了。

只是，她学这些做什么呢？

薰衣温婉地笑着："是啊，手艺很好呢，如果出庄行走，简直都可以养活自己了。"

如歌心虚地一踉跄，呵呵笑道：

"薰衣姐姐爱说笑。"

薰衣似笑非笑："希望如此。"

蝶衣狐疑地看着如歌："小姐，你又准备离庄出走？"

如歌眨眨眼睛，不敢说话。

蝶衣瞪她："我告诉你；如果你又一次不告而别，我就再也不要理你了！"

薰衣叹息："小姐，我们会担心你啊。"

如歌的眼睛湿润起来，她吸一口气，微笑着：

"放心，我不会悄悄溜走的，即使真的要走，也会告诉你们知道。"

蝶衣越听越不对，眼睛瞪得圆圆的：

"你在说什么？你难道……"

薰衣阻止她，对如歌道："只要你想清楚，只要你觉得开心，我们都会支持你。"

如歌咬住嘴唇，感动道："薰衣姐姐……"

蝶衣跺脚："薰衣，你在乱讲什么！"

薰衣但笑不语。

如歌看看天色，突然想起来："哎呀，我和爹约好了这个时辰喝茶。"

说着，她急忙跑了出去。

*** ***

竹林中的石桌。

一壶新沏好的绿茶。

如歌为父亲将茶端到面前，安静地看他细细品饮。

烈明镜放下茶杯，抚着雪白的长髯，朗声大笑："好！我女儿的茶艺有长进！"

如歌在石桌另一边坐下。

她托着下巴，望着父亲，低声道："爹，都过去好几天了，你为什么不责骂我？"

烈明镜横目："我的女儿，是我的骄傲！为什么要责骂？！"

如歌道："在宴席中……"

烈明镜拍拍她的手，叹道："歌儿，是战枫有眼无珠，你不用伤心。"

"爹！"如歌轻喊，"我当众违抗你，你如何毫不生气？"

烈明镜怔一怔，仿佛觉得她的话十分好笑："你是我的女儿，我恨不能将天下最好的东西都给你，又怎会生气？"

如歌垂下头。

"可爹是天下霸主，不能有人触犯了规矩而不受到惩罚，即使是爹的女儿。"

烈明镜虎目发威："规矩就是我定下的，自然也可由我改变！"

如歌摇头：

"不可以因为我伤害到爹的威严。"

烈明镜打量她，忽然大笑：

"歌儿，你是否想出烈火山庄？"

如歌的脸腾地红了，不依道：

"爹！"

烈明镜抚须而笑，右脸的刀疤也慈祥起来：

"哈哈，我对自己的女儿又怎么会不了解？！"

她凝视着他：

"爹，你允许吗？"

烈明镜长叹："做爹的怎会舍得女儿离开身边啊。"

如歌失望地垂下眼睛："不可以吗？"

烈明镜观察她。

"歌儿，你为何想出庄？"

如歌想一想，道："没有人能够被保护一辈子，想要活下去，必须学会生存的本领。"

"还有？"

如歌一笑："我在庄里不快乐。"

"一个人？"

"对。"如果跟着一堆丫头小厮，同庄里有什么区别？

"你可以吗？"

"如果不试，永远不可以。"

"世上远比你想的复杂。"

"您也是一步步走过来，打下这片基业。"

烈明镜突然发现女儿长大了，稚气逐渐消失，眉宇间的光芒强烈得让人无法忽略。

她不再是躲在他怀里撒娇的小丫头。

她要挣扎着用她的方式生活。

烈明镜沉吟。

半晌，他终于开口道：

"我可以答应你，不过，你必须接受一个条件。"

如歌思忖，会是怎样的条件？但转念一想，又深知父亲总是爱她极深，不是对她好的，绝不会提出来，便应道："好。"

烈明镜甚是欣慰，从怀中摸出一枚火红的令牌，放进她的掌中。

"记住，你是它的主人。"

*** ***

如歌是傍晚时分离开的烈火山庄。

她只带了一个小包袱，里面有两套衣裳、几块干粮和十几两银子。

她是光明正大从烈火山庄的大门出去的，没有送行的眼泪和叮嘱，只有蝶衣生气的表情和薰衣温婉的笑容。

烈明镜同往常一样，在大厅中听着众人向他禀报各地的情况。只是，在如歌踏出山庄大门的那一刻，振眉笑起来。

他的歌儿正在长大。

夜空很亮。

星星很亮。

如歌走在宽阔的草原上，眼睛很亮。

她没有去找客栈投宿，一路不停地走才到了这里。

吹过来的夜风，带着清冽的青草香，一眼望不到边的草原，让她宁静地深呼吸。她轻笑着，坐到草地上，放下包袱，躺下去，在青草上滚了两滚，有草屑沾上她的眉毛，有小虫撞上她的面颊。

她长吁一口气，闭上眼睛假寐。

繁星点点的夜空下。

红色衣裳的如歌枕着双臂，在青色的草原上，仿佛已然睡去。

在这里，好像所有的事情都可以被忘记。

她是一个新生婴儿般的如歌，呼吸可以放得很慢，可以安静地睡去……

月亮露出了皎洁的脸。

满天星星闪烁。

如歌轻轻地睡着……

忽然。

像一阵飞雪，璀璨的光芒悄悄飘来，悄悄躺在她身旁，挨得她很近，调皮地笑着逗弄她纤长的睫毛。

痒啊！

如歌皱着脸，翻过身去不愿意醒，嘴里咕噜咕噜地呓语。

飞雪般的光芒飘过来，继续呵她的痒。

痒——啊！

如歌哭丧着脸抗议："讨厌！"难道不知道睡觉的人最大？！是谁这样恶劣？！

睁眼一看。

她的下巴险些惊掉！

雪笑吟吟像夜的精灵，趴在她脑袋上方，娇美的双唇呵着她睡乱的发丝。

"是你？！"

如歌惊叫！

雪慵懒地白她一眼，手指将她的发丝绕啊绕："人家说了要跟

着你，为什么要把人家抛下呢？好没良心的臭丫头！"

如歌把自己的头发夺回来，无奈道："我现在一无所有，你跟着我会吃苦的！"

雪笑眯眯："那你就跟着我好了，我会让你享福啊。"

"跟着你？"如歌的脸皱起来，"要让你再回青楼挂牌吗？还是算了吧。"

雪眼圈一红，泪水哗啦啦打转：

"我知道！你就是嫌弃我曾经卖身！你看不起我！"

他的哭声让如歌觉得罪孽深重，连忙解释：

"我没有那个意思！我只是——只是——"

"只是怎样？"雪抽泣。"只是——"如歌胡乱说，"只是关心你，不想让你重操旧业罢了。"

雪忘记了哭泣。

他白衣如雪，笑容有让人屏息的幸福："丫头，你说——你关心我……"

"是啊是啊。"只要他不哭就好，她的头都大了。

雪仰躺在草地上，望着星星微笑：

"好吧，那我就原谅你了。"

如歌苦笑："多谢。"

天哪，她怎样才能让他走呢？

雪仿佛听到了她心里的声音。

他呼吸着她身上的气息，暗道——

臭丫头，你到哪里我就会跟到哪里。

星空如此美妙。

草原上的两人却各怀心思。

CHAPTER6
LIEHUO RUGE I

原来，一切并不像如歌想的那么容易。

她以为出庄以后很轻松就可以找到事情做，可以一边开心地干活，一边开心地游遍天下。其实，她原本计划得很好，能有很多选择，比如说，她可以到酒楼客栈给掌勺师傅们打下手，呵呵，她切菜的功夫现在可是一流啊，只不过，为什么酒楼里要定下不收女人帮厨的规矩呢？好吧，就算她不去切菜，跑堂送菜斟茶总可以啊，可是——但是——

如歌欲哭无泪。

雪总——是——跟着她！

她在酒楼跑堂，他就打扮得像画中仙人，白天黑夜痴痴地凝视她，让所有的客人浑身直打寒战；她想去给人家里做丫头，管事的一见她身边硬要跟着一个白吃白喝风姿绝美的大男人，脑袋

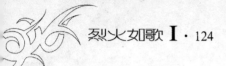

摇得比拨浪鼓还凶；她好歹还有一身力气，实在不行去帮人扛
货，雪却用手帕捂住鼻子，哀怨地大声抱怨环境又脏又差，当他
控诉到第九百九十九声时，忍无可忍的账房先生请他们走路了。

只有一个地方欢迎他们，没错，就是青楼。

青楼的老鸨们一见雪就眼睛贼亮，争相邀请他挂牌献艺，却
又被她一口拒绝了。

所以。

现在是山穷水尽、粮断银绝！

熙熙攘攘的集市上。

吆喝的商贩，往来的行人，香气四溢的馒头包子，红彤彤的
糖葫芦，刚出炉的点心糕饼……

"咕咚！"

抱着肚子坐在屋檐下的如歌咽了大大一口口水，啊，她好饿
啊，肠子好像绞着一样，发出"辘辘"的哀叫！她将扁扁的肚子抱得
更紧些，用精神力量告诉自己——

我——不——饿！

因为即使饿也没有办法，挣不到钱，原来的银子也花光了，
悲惨的如歌只能饿得两眼发花天旋地转。

忽然。

她耸耸鼻子。

好香啊……

是谁胆敢在她身边吃东西，卑鄙地试图引诱出她想要打劫的
罪恶念头？！

她怒瞪过去——

却见一身白衣干净鲜亮的雪，正笑嘻嘻地拿着两个酥黄的热

烧饼，朝她扇来香气。

如歌瞪大眼睛："咱们还有买烧饼的钱？"说着，她一把抢过一个，三下两下塞进嘴巴里，她快饿死了！

雪白她一眼："做梦呢，银子早没了。"

一口呛到，烧饼卡在喉咙里上不下，如歌噎得面红耳赤。雪大笑着帮她拍拍后背："这么激动做什么？"

如歌缓过气，指住他："烧饼怎么来的？！"

"偷来的，抢来的。"雪笑得很轻松。

她恨不得将吃下去的烧饼吐出来，悲愤道："雪，我们就算再穷再饿也不能做这样的事情，人家卖烧饼做小买卖养家糊口多不容易，你偷人家抢人家……"

"是不可能的。"雪俊美的脸皱成一团。受不了，她那什么语气嘛，好像三娘教子。

如歌没反应过来。

"什么不可能？"

雪当她白痴，摇摇头道："烧饼是别人送的。"

"送的？"她好像八哥。

雪笑起来，朝集市东头卖烧饼的小寡妇黄嫂抛个媚眼，黄嫂被他勾得心潮澎湃，一时间手足无措，给客人包的烧饼滚落在地上。

如歌看看黄嫂，又看看雪："为了两只烧饼，你居然出卖色相？"

"是，怎样？"

如歌笑呵呵："这是不对的，为了以示小惩，呵呵……"

雪冷笑着将剩下的那个烧饼也给她："为了惩罚我，这只你也吃掉好了。"不就是想多吃一个吗？还要找借口。

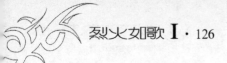

　　如歌心虚地接过来："呵呵，你不吃吗？"只吃一个烧饼是不够的，她还是饿啊。

　　雪优美地走开，留下一句话——

　　"我让郑二娘送我几个肉包子。"

　　肉包子？如歌咬着烧饼有些后悔，肉包子也很好吃啊，不晓得他还肯不肯分给她了。至于引诱别人送东西，算了，此时穷困潦倒，还是活下去最重要，而且能把东西送人也必是经过考虑的吧。

　　如歌和雪吃得饱饱的。

　　两人坐在屋檐下，阳光暖暖的让人想睡觉。

　　如歌努力将瞌睡虫赶跑，打起精神开始一个严肃的话题："我们要以什么为生？"

　　雪懒洋洋的，快要睡着了："这样就很好。"

　　"砰！"

　　如歌敲他的脑袋："你正经点行不行？这关系到我们的生死存亡啊！"

　　雪打着哈欠："反正你不能抛下我，不管你做什么我都要在旁边。"这是他惟一的条件，其他都不管。

　　如歌的脸开始狰狞："雪！你已经很大了，不是个小孩子！整天缠住我、黏着我，你究竟想干什么？！"天哪，如果跟他形影不离，她什么活儿也找不到。

　　雪一脸的笑，带着浓浓的孩子气：

　　"因为我喜欢你嘛，一见不到你就会心慌得要死。"

　　她握紧拳头："那认识我之前呢？你怎么没有心慌而死？！"撒谎可不可以不要太离谱！

雪轻轻瞟着她：

"认识你之前，我一直在找你；找到了之后，我又一直在等你；终于等到了，又怎么会离开你呢？"

如歌绝倒："哈——哈——，你应该去说书。"鬼才会相信他。

雪很安静。

她想了想，瞪住他："你听着，一、我必须去干活挣钱，否则会饿死；二、你不许跟着我，否则我找不到活儿。"

雪摇头："笨丫头，我跟着你，并不妨碍你挣钱啊，真是死脑筋。"

如歌听不懂。

雪望着卖烧饼的黄嫂，悠悠道："你在后面做烧饼，我在前面卖烧饼，包管生意好到不得了。"

*** ***

雪记烧饼铺开张了！

烧饼铺开在平安镇最热闹的大街上，赁了间租钱昂贵的小门脸。如歌原本心疼白花花的银子想要赁间便宜点的屋子，但雪斩钉截铁地告诉她，做生意第一重要的是选址！第二重要的还是选址！只要地点选得对，哪怕烧饼稍微难吃些，也会卖得好。

如歌没有多说话。

因为筹措开烧饼铺的钱是雪拿出来的，她从烈火山庄带出来的银子早就无影无踪了。做生意总是要本钱的，雪像变戏法一样掏出了大把银票，如歌却直摇头。不是她怀疑银票的来历，而是觉得雪在青楼好不容易攒下一笔钱，她花掉会良心不安。

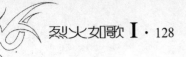

　　雪取笑她，他弹一首曲子比她将来卖一个月烧饼赚的钱要多多了。如歌还是不收，如果平白拿别人的银子，同在烈火山庄做大小姐有什么不一样？最后，雪提议他做烧饼铺的老板，如歌当做他雇的烧饼师傅，于是两人皆大欢喜。

　　既然老板决定要租旺铺，伙计有什么说话的资格呢？

　　于是在吉日吉时，雪记烧饼铺开张了！

　　如歌紧张地站在一箩筐香喷喷的烧饼后面，看着来来往往的路人，不晓得谁会是她的第一个主顾。

　　雪掂着一串长长的爆竹，笑颜如花地在街上喊着："雪记烧饼铺开张喽！走过路过不要错过了！好吃的烧饼啊！香喷喷让你流口水！脆酥酥让你忘不了！"

　　雪吸引了一大群人。

　　人们从没有见过这般美貌的男子，白衣华丽，气质高雅，他好像是蓬莱仙境中的神人，却拈着爆竹吆喝着卖烧饼。

　　雪见人群聚得差不多了，拿起一根香，笑吟吟地凑近爆竹捻子，环顾一圈道："雪记烧饼铺新开张，为答谢各位街坊乡亲，今日烧饼特卖，买两只送一只，不要错过好机会啊！"

　　"好啊！"

　　众人鼓掌！

　　"等一下！"一个九岁左右虎头虎脑的小男孩窜出来，冲到雪面前，眼睛望着爆竹发光，"大哥哥，爆竹可不可以让我点？"

　　这一声大哥哥甜得雪心花怒放："给你！小心点不要炸到手……"

　　"劈里啪啦……"

小男孩将爆竹舞得像飞龙一般，惊起满场喝彩！

爆竹燃完。

如歌笑呵呵地拿了一只烧饼，蹲下来给小男孩："小弟弟，谢谢你捧场啊，鞭炮耍得真帅！姐姐送你只烧饼尝一尝。"

小男孩将烧饼塞进嘴里，嚼啊嚼。

如歌看着他，问道："味道怎样？"哎呀，她心里好紧张，才学习做烧饼没多长时间，不晓得会不会吃起来很奇怪。

雪的笑容像春风一样明媚，对小男孩眨眨眼睛。

小男孩舔舔嘴唇，把着如歌连声喊："姐姐，烧饼好好吃啊，我从没有吃过这样好吃的烧饼，恨不得将舌头也吞下去！姐姐，可不可以再给我一个，我好想再吃一个！" 啊？！这么好吃？！

围观的众人蠢蠢欲动。

雪站回烧饼箩筐后，清亮地吆喝："快来呀！快买呀！好吃的烧饼今日特卖！买两只送一只！抓紧来买呀，动作慢就没有了……"

呼啦啦人群围上来，叫嚷着——

"我要两个！"

"我要四个！"

"再给我两个！"

……

人群外面。

如歌抱一抱嘴角沾着芝麻粒的小男孩，感激地说："小弟弟，谢谢你。"

"姐姐，叫我小风好了。"

"小风？"

"我是断雷庄的谢小风。"

小风歪着脑袋笑。

  *** ***

晚上。

当如歌数着满桌子的铜钱时，仿佛浑身的酸痛被忘到了九霄云外，现在她才明白为什么世上那么多人喜欢钱。

钱，的确可以让人感到快乐，尤其在经过辛苦的劳动之后！

她感动地说道："这是我挣到的第一笔钱。"

雪托着下巴看她："在品花楼呢？"

如歌笑："不一样啦，那时没有想要挣钱。"更何况，那些银子她直接就给了卖身葬母的香儿。想到香儿，不知道她现在怎样了，刀无暇会给她一个好的安排吗？

望着出神的她，雪笑道："才赚了五文钱而已，你就开心成这样。准备怎么花它呢？"

如歌想一想："嗯，我要去买更多更好的芝麻和原料，努力将烧饼做得越来越好吃！"

"好像你才是老板。"

她笑得不好意思："你说的嘛，要做就做到最好！"

雪很佩服她。

如歌望着自己的双手，忽然道："我觉得我很适合做烧饼。"

她仰起脸笑："揉面的时候，需要恰到好处的手劲，我的烈火拳虽然练得糟糕，但对于揉面团还是绰绰有余的！"

雪绝倒："烈庄主如果晓得你说烈火拳适合做烧饼，一定会恼怒。"

如歌不以为然："爹才不会生气，他是世上最好的爹。能做烧饼总比一无是处强吧！"说到这里，她有些沮丧，"雪，我好像很笨啊……"

雪挑挑眉毛。

她终于知道了？

如歌皱着鼻子："从小跟爹学武功，三个师兄都学得又快又好，只有我，再怎样努力勤奋好像也学不会。有时候，我明明感到领悟了啊，我应该会啊，但是——"

她苦恼道："就好像有一块巨大的石头，又好像有一只巨大的手，控制住我的身体，让我……哎呀，反正那种感觉很奇怪……好像每当我领悟了什么，它就会咆哮着将我打下去……我也跟爹说过，爹总是安慰我没关系，但眼神又古怪得紧。"

雪的眼睛也古怪起来。

如歌喊道："对！就是这样！爹的眼神跟你一模一样！"

只是一闪，雪又恢复正常，笑吟吟道："还不是你自己笨？学不好功夫就乱找借口。"

她的鼻子气歪了："才不是！我没有！"

雪打个哈欠："好累啊，我要去睡了。"

说完，起身离去。

如歌在他后面喊："我还没有说完呢！"

雪掀起帘子走进内屋，俊美的面容掠过一丝担忧。

她——

要醒了吗？

*** ***

下午。

雪记烧饼铺生意最清淡的时候。

如歌瞅着半箩筐没有卖出去的烧饼，眉毛皱成一团。自从结束买二送一的烧饼特卖，每天卖出去的数量好像固定了下来，来买的总是那些个相熟的街坊和偶尔路过的往来客商，挣的银子只能勉强够温饱。

或许这样已经很好，可是，总跟她期望中不一样。

而且，很多人好像不是为着烧饼而来，似乎都是冲着笑颜如花的雪。这不，上午雪一出去，就剩下了半箩筐的烧饼。

正沮丧中。

一个虎头虎脑的男孩子摇着一根糖葫芦钻了进来："如歌姐姐，雪哥哥呢？我怎么没有看见他？"

又是雪！

他们眼里莫非只有雪，却看不到她辛辛苦苦做出来的烧饼吗？

如歌瞪着谢小风："你又从断雷庄溜出来了！当心回去以后你爹打你屁股！"

谢小风舔着糖葫芦，眨巴着眼睛：

"爹一打我，我就喊爷爷救命，爹最怕爷爷了。"

如歌已经知道，谢小风是断雷庄庄主谢厚友的宝贝孙子。谢厚友只有一女，后将爱徒曹人丘招赘，其子小风过继给断雷庄。

谢厚友素日对小风珍若性命，轻易不让曹人丘责骂他。

"是，你真厉害。"

她敷衍一句，拿起只烧饼来端详。

是她做的烧饼不好吃吗？

谢小风拽着她："如歌姐姐，跟我玩嘛，做什么老盯着烧饼看？！"

如歌突然一笑："小风，帮姐姐个忙好不好？"

"好啊。"

"那，你尝尝这个烧饼。"人家都说小孩子不会说假话。

啊，又要尝？

谢小风苦着脸，他已经尝过很多了，多到一看见烧饼就要反胃。

如歌将烧饼塞进他嘴里，用期待的眼神看他：

"怎样？"

谢小风腮帮子鼓溜溜的，声音"呜呜"不清。

如歌两眼放光："有没有感觉到咸甜适中？"

谢小风努力地吞咽。

如歌一脸期待："有没有感觉到烧饼的劲道是刚中带柔，柔中有刚？"

谢小风用力一咽，啊，终于吃完了。

如歌蹲下来，小心翼翼地问道："可以告诉我你的感觉吗？"

感觉就是——

他快噎死了！

谢小风喘口气，眨巴眨巴眼睛："如歌姐姐，要讲真话吗？"

"当然。"

谢小风咧着嘴巴笑："很好吃啊。"

"真的？！你没有骗我？！"如歌欢呼跳跃。

"同满大街的烧饼一样好吃。"

"啊……？！"

如歌僵住，动作定在半空中。

谢小风不解地看着她："不就是烧饼嘛，如歌姐姐你干吗那么紧张？天下所有的烧饼味道都差不多啊。"

如歌跌坐在凳子上，发呆。

"小风说得好。"

带着清凉的花香，白衣耀眼，如同仙人一般的雪轻笑着踏入铺子。

谢小风看得眼睛直了。

"雪哥哥，你好漂亮啊。"

雪眉开眼笑："小风嘴巴真甜。"说着，他绕到发呆的如歌身边，凑近她，"喂，丫头，失望了？"

如歌有气无力。

谢小风挠挠头道："我说错话了吗？"

"你没有说错话。只是有人曾经雄心勃勃，想靠一双拳头做出名扬天下绝世无双的好烧饼。"

如歌"扑通"一声趴在木桌上。

啊，她好失望啊……

谢小风敬佩地望着她，想不到如歌姐姐有这么大的志向。

雪搂住她的肩膀："丫头，不是你的烧饼不好吃……"

谢小风拼命点头："如歌姐姐的烧饼很好吃！"

如歌瞪他们两眼。

她不需要安——慰——！

雪从怀中拿出一个印章模样的东西，神秘道："只是缺乏一点逗人的地方。没有特色的烧饼，就像空气一样很容易让人忽略掉。天下所有事情都需要装扮一下才会精彩，烧饼也不例外。"

谢小风听得一头雾水。

如歌也摸不着头脑，问道："你在说什么？"

雪拿过一个烧饼来，对印章呵口气，然后，轻盈地印上去！

金黄的烧饼。

淡红的雾中美人。

美人如月，美人如雪，姿态妩媚，神情却端庄。

映着金黄的底色，简洁优美，使人忍不住看了又看。

如歌震撼地望着雪："烧饼也可以这样吗？"

谢小风捧着烧饼流口水："哇，这只烧饼可以送给我吗？"

雪笑得很得意：

"这红色是可以食用的色料，只管放心去用。雪记烧饼铺出来的东西，怎可不令人叹为观止？！"

*** ***

平安镇近段日子来，街头巷尾净是这样的对话——

"吃过雪记烧饼铺的烧饼吗？"

"当然吃过！"

"什么？你居然没有吃过雪记烧饼？！"

"雪记美人儿烧饼吃了吗？"

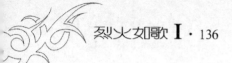

"世上竟然会有那么棒的烧饼！"

"雪记烧饼……很好吃吗？"

"没有吃过雪记烧饼？你到底是不是平安镇的人？"

"雪记烧饼铺在哪里啊……"

"看见没有，人最多的地方就是！"

"啊！我今天终于买到了雪记烧饼！"

"什么？！卖完了？！我又来晚了！"

如歌笑呵呵将"烧饼已售完"的漆木牌子挂在铺子外面，用手巾擦擦额头上的汗，把一个个空空的箩筐搬进来，喜不自禁地对雪说：

"哎呀，生意简直一天比一天好！"

雪悠闲地喝着茶："是你烧饼做得好吃。"

如歌殷勤地为雪倒上茶，一脸甜笑："哪里哪里，是雪公子绝妙无双的好点子，让烧饼卖得又快又多。"

"如今不嫌我跟着你了吧。"

"是啊是啊，雪公子是我的福星，又聪明又漂亮。"

雪满意了，支住下巴问她："丫头，我们赚了很多钱了，出去庆祝一下好不好？"

如歌有些迟疑："怎样庆祝啊？"

"嗯，"雪笑眯眯，"总是吃烧饼，吃得腻死了，我们去镇上最好的洞宾楼点些好菜，如何？"

"洞宾楼？那里的菜据说好贵的！"

"走啦！"雪一把抓起她，"我是老板都不在乎了，你紧张什么。"

"可是……"

如歌兀自挣扎。

雪将她拖到了铺子外面。

如歌低声叫："可是，会不会遇到天下无刀城的人啊？"

雪停下，笑：

"你选择平安镇，不就是想见识一下他们吗？"

是，不过——

如歌也有点说不清楚。

傍晚的阳光洒在雪的白衣上，有令人屏息的美。

他对如歌道："很多事情，只靠传言是作不得准的，需要自己体会一下。"

她不说话。

雪微笑："何况，他们并不知道你是谁。"

***　　***

天下无刀城。

不是一座城，而是武林世家。

它世代居住在平安镇的东面，随着江湖地位和势力的扩大，俨然有了"城"的感觉。

天下无刀城，所有的弟子使用的武器都是刀，各式各样的刀。

第七代庄主刀宵噪一把鱼鳞刀，罕逢敌手。

第八代庄主刀绝霸一把紫背金环大砍刀，曾经在武林大会获得天下第一人的称号，风头可谓一时无二。

天下无刀城的人骄傲。

天下无刀城的人狂妄。

盛年的刀绝霸在群豪面前立刀狂笑，将霸刀城改名为天下无刀城，取意天下除刀家外无人再配用刀！

可惜。

两年后。

烈明镜同他的兄弟战飞天在华山之巅挑战刀绝霸。

刀绝霸败。

又半年后，新崛起的十九岁少年暗河宫宫主暗夜罗，仅以三招就折碎了刀绝霸的紫背金环大砍刀。

暗夜罗一战成名。

刀绝霸一蹶不振。

天下无刀城成为武林嘲笑的焦点。

天下无刀，果然无刀。

后来，在烈火山庄与暗河的斗争中。

天下无刀城站在了烈火山庄一边，随着烈火山庄的神奇胜出，它又一次确立了在江湖中的地位。

现在的天下无刀城，主事的是刀绝霸的长孙刀无暇，人品风流俊雅，做事谨慎小心。在他的苦心经营下，天下无刀城隐然坐稳了天下第二世家的位置。

当然，天下无人可用刀这句话，刀无暇是绝不会再提了。

因为烈火山庄的战枫，用的就是一把叫做"天命"的刀。

一把无情的刀。

"对不起，两位客官，"洞宾楼的店小二赔着笑脸，"二楼雅座被天下无刀城的人包下了，你们不可以上去。"

雪好奇地问："是谁在上面？"

店小二苦笑："刀小姐大驾光临。"

天下无刀城的刀小姐，脾气古怪得很，稍不顺心便会大发雷霆，实在不是他们能惹得起的。面前的这两位客官，气质不凡，衣着鲜亮，特别是那个白衣男子简直就像仙人下凡一般，若是平日自是待为上宾。可惜，刀小姐已经占下地盘，说要"清净"，他们也只好照她的话去做了。

"刀冽香？"

雪眼睛一亮，拉住如歌的手："走，去见见老朋友。"

如歌没有意见。雪跟刀冽香好像是旧识啊，在品花楼，刀冽香还曾经想重金买下他。他们究竟是什么关系？她很好奇。

店小二伸手拦住："公子爷！求求您饶了我吧！您要是上去了，我的脑袋就没有了。"

如歌睁大眼睛："刀姑娘这么可怕？"

店小二压低声音："何止是可怕，简直是恐怖！刀小姐曾经用她的刀，一片一片，足足片了一百八十一刀，将一个看了她一眼的男人片成骷髅！"

如歌左右望望："喂，小声点，若是被刀姑娘听见，当心片你一百八十二刀。"

雪笑弯了腰。

店小二急忙捂住嘴，浑身直打寒战。

雪瞟一眼楼上："丫头，你想上去吗？"

如歌笑道："算了，放小二哥条活路吧，若是想见刀姑娘，想必等一会儿她就会下来的。"

　　店小二千恩万谢地领雪和如歌来到一个极为僻静的桌子上。

　　如歌点了几个好菜，嘱咐道："小二哥，让大师傅做得快些。"

　　"放心好了，一定让你们满意！"

　　店小二脚步轻快地离去，唉，上天保佑后面的客人也都像这两位客官一样好说话吧……

＊＊＊　　＊＊＊

　　洞宾楼二楼。

　　一把娥眉弯刀。

　　几只酒坛。

　　刀冽香一身劲装打扮，眉头深锁，面容有些憔悴。

　　筷子摆在桌上，似乎从来没有动过。

　　几个小菜同端上来时一模一样。

　　她伸手抓过只酒坛，咕咚咕咚仰脖一饮而尽。

　　酒喝得越多，她的眼睛越忧伤。

　　窗外有白影一闪而过。

　　她僵直了定睛去看！

　　不是。

　　那人怎会有他绝世的风华。

　　她苦笑着，一掌拍开另一坛酒，扑鼻的酒香可以让她不再那样清醒。

　　从来没有想过天下无刀城的刀冽香会迷恋上一个在青楼挂牌的男子。

第一次见他是在品花楼。

她女扮男装同江湖上的朋友们相聚。

朋友们说起天下第一美人。

她好奇心起，随他们前往见识。

白衣耀眼得仿佛天地间最明亮的光芒。

雪。

轻轻望了她一眼。

瞅得万种风情。

笑得妩媚风流。

他的琴声，就像高山中乍现的彩虹，夺去她的魂魄。

于是。

她再也忘不了他。

不应该会迷恋雪。

他慵懒美丽得好像模糊了男女。

她知道有无数的人为他着迷，她知道她为他一掷千金他也不会动容，她知道她四处追随着他的脚步只会让他瞧不起。

不，他不会瞧不起。

他的眼中从来没有她。

她用足足两年的时间跟随他，让他记住了她的名字，她也似乎对他了解得多了些。

雪并不像他表现出来的那样调皮和开心。

他有心事。

他仿佛在等一个人。

深夜时分。

黎明时分。

他不眠不休地抚琴。

夜露染湿他的白衣。

朝露缀满他柔亮的长发。

琴声哀伤。

他面容苍白。

站在遥远暗处的她，觉得好像有种绝望的悲伤笼罩着他。

他想挣扎。

却始终无用。

这样的雪，让她的心痛成一片。

他的绝望不是因为她。

于是。

他的绝望变成了她的绝望。

品花楼那一夜。

雪的手指点中了一个红色衣裳的小丫头。

他笑着说——

"我要她做我的主人。"

那个小丫头仿佛不知所措。

仿佛不知道雪从来没有笑得那样快乐过。

绝望的她恨不能一刀将那小丫头劈成两半！

她第一次有这样强烈的杀人冲动！

后来。

雪就自她的视线中消失了。

她回到天下无刀城。

变成失去了魂魄的刀冽香。

这坛酒又饮尽。

刀冽香伏在桌上。

好像已然醉得不省人事。

***　　***

楼下。

如歌瞪他："那你为什么让我点这么多菜？"雪的胃口就像小鸟一样，没吃多少居然说已经饱了。

雪懒洋洋道："人家知道你能吃嘛。"

天哪，剩下一大桌子菜，她的肚子无论如何也塞不进去。

如歌忍不住数落他："你知不知道你很浪费，这顿饭花的银子可以让寻常百姓吃上一个月了。"

雪笑道："不知道的人，会以为你以前的生活很穷困。"

"你在嘲笑我。"

"我只是好奇而已。"雪赔着笑脸。

如歌叹息道："是，以前在山庄，我是不知世事的大小姐。可是，到了品花楼，我才知道那些丫环小厮们过的是怎样的生活。"

雪喃喃自语："给他们的工钱并不少。"

如歌摇摇头："工钱再多，她们也很少是自愿卖身的，在青楼为仆，无论怎样名声也不好听。但是因为生活所迫，她们只能如此。"

雪看看她，点头道："好，我往后不再浪费就是了。"

如歌抱歉地笑："对不起啊，又数落你，其实你已经很好了。"

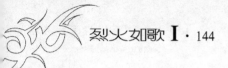

雪受宠若惊："怎讲？"

"呵呵，你是天下第一美人，又是世人景仰的琴圣，想必过惯了奢华的日子，却能跟我在小镇卖烧饼……"

如歌望着他，微笑柔和地漾开。

雪心中一热，握住她的手：

"丫头……"

"刀——冽——臭——！你给我滚下来！"

正此时，洞宾楼中爆出一声大喝！

满楼客人皆吓了一跳，杯盏倾洒声、碗筷掉地声、孩童惊哭声响作一团！

循声望去，只见一个布衣少年，满脸怒容，对着楼梯吆喝。

店小二惊慌失色，又作揖又解释。

布衣少年只是不听，一个劲儿喊道：

"刀冽臭！天下无刀城的刀冽臭！少爷我命令你滚下来！"

如歌和雪相视一笑。

哈，又一个旧识。

这布衣少年可不正是品花楼那夜出现的江南霹雳门少主雷惊鸿！

只是不晓得他为什么对刀冽香有如此大的怒气。

看起来不像是仅仅因为雅座的问题。

一个酒坛挟着破空之声自楼梯向布衣少年雷惊鸿砸去！

若是被这酒坛击中，只怕他的脑袋会立时开花。

雷惊鸿冷笑，随手一个"霹雳炮"甩出去！

酒坛"轰"的一声炸成粉碎！

漫天酒雨！

漫天酒坛碎屑！

洞宾楼中恍若平地起炸雷，桌凳饭菜飞上半空，客人们惊慌地乱作一团，拼命向楼外逃命。

雷惊鸿甩手而立，身上干干净净，没有沾上丁点儿碎片和杂物，他对着楼梯骂：

"刀冽臭，你只有这点本事吗？太让少爷看不起了！"

一声怒叱：

"不知死活的臭小子。"

刀冽香浑身酒气，英目含威地自二楼慢慢走下，她的脚步略有虚浮，想必是喝得有些多了。

雷惊鸿捏住鼻子，嘲笑道："臭婆娘，你臭死了，怪不得你看上的男人不要你！"

他的话像刀子一样戳进她的心。

刀冽香握紧娥眉弯刀，冷哼道："雷惊鸿，你莫非以为姑奶奶怕你？！"

雷惊鸿大笑："没错！天下无刀城的人都是缩头乌龟，只会窝在阴沟里算计人，我见到就想揍你们！"

刀冽香怒极！

平日里大哥刀无暇总是嘱咐她不要招惹烈火山庄和霹雳门的人，凡事要忍耐。可此刻，酒劲加愤怒让她只想一刀将这个狂妄少年的脑袋削下来！

雷惊鸿大喜。

哈哈，终于逼得她要出手了！

"喂，你们要打架吗？"

一个清甜的声音插进来。

刀冽香和雷惊鸿侧目望去，只见一个红衣裳的小丫头眼睛闪闪地坐在一张饭菜完好的桌子旁，笑呵呵地对他们说道："如果要打架，可不可以去一个没有人的地方打？雷少爷的武器太惊人，恐怕会把整间楼都拆掉，而我们还没有吃完饭呢。"她想一想，又笑道，"雷少爷，你走的时候莫要忘记给掌柜的留下整修店铺的银子啊。"

刀冽香和雷惊鸿根本没有听见她在说什么，只呆怔地盯住她身旁的那个人。

他——

不正是魂牵梦萦的雪？！

白衣如雪。

笑颜如花。

眼波盈盈似弥漫着花香的春溪，轻笑道："雷郎、小香，要听这丫头的话啊。"

刀冽香和雷惊鸿仿佛已不会动。

CHAPTER 7
LIEHUO RUGE I

　　一大早，如歌就在热火朝天地做烧饼！

　　面团要揉得很劲道才好，她擦擦额头的汗。啊，烧饼铺的名气越来越大，慕名而来的客人越来越多，她一定也要将烧饼做得越来越好吃，才不会让人觉得名不副实，而且可以引来更多的回头客。

　　如歌边揉面团边笑，原来付出努力获得成功能够带来如此大的快乐！

　　刀冽香拨开内屋的布帘，宿醉的脑袋让她眩晕得想吐，她倚在门边，冷眼打量那个脸上沾着面粉哼着小曲快乐地做烧饼的红衣裳小姑娘。

　　只不过是个做烧饼的而已。

　　有了雪，不在青楼做丫头，干的也还是低贱的活儿。

　　如歌发现了她，笑着招呼道："醒了啊。"

刀冽香眼神阴暗。

如歌接着揉面团："你昨天好像喝了很多酒，吐了整夜，现在脑袋一定很痛吧。桌子上有一碗醒酒汤，你喝下去应该会好些。"在品花楼的时候，姑娘们经常喝醉，做醒酒汤就成了每个丫头必须掌握的本领。

刀冽香盯着她："你叫什么？"

如歌看她一眼，微笑道："喂，你说话不太客气啊。还有，我昨晚一直照顾你，你似乎忘记感谢我了。"

刀冽香冷笑："凭你也配？！"

"轰！"

一团火球在刀冽香身上炸开！

她猝不及防，衣裳被烧出个大洞，不禁怒喝道："是谁？！"

雷惊鸿施施然走到如歌身旁，取笑道："怎样，告诉你不要理这条母狗，任她醉死在街头好了，你偏不听，如今后悔了吧。"

刀冽香怒瞪他道："臭小子，你是否真的想死？！"

如歌开始往面团上抹油："麻烦两位可不可以出去说话，这些烧饼是要急着做出来的，否则就赶不上第一拨客人了。"

雷惊鸿大笑："哈哈，有本少爷在，雪和你怎么还会卖烧饼呢？"他摸出一把银票，拍在案上，"这家烧饼店少爷买下了！"

如歌像看怪物一样盯着他。

忍不住摇摇头。

然后喊道——

"雪——快起床！"

雪仿佛从床上跌下来……

"快起床！！快起床！！！！"

如歌施展魔音穿耳神功，大声叫喊着雪。

白衣慵懒地披在身上，长发有些凌乱，雪睡眼惺忪地走出来，懒懒道："怎么了？"

雷惊鸿和刀冽香看得痴掉。

破晓的阳光将雪的肌肤映得好似透明，懒洋洋的模样像晨风中初绽的白花，他美得似乎随时都会幻化成仙。

如歌无奈道："雪，麻烦将你的朋友们带走，我需要安静地做烧饼。"她可不想砸了雪记烧饼铺的招牌。

雪哈欠道："哦，明白了。"接着，对雷惊鸿和刀冽香招招手，笑眯眯地说，"来呀，咱们到外面去玩。"

那天。

雪记烧饼铺的生意格外好。

因为有两个高手在铺子外面卖艺。女子使刀，刀刀致命狠辣；少年用火器，花样百出，比过节时的烟花爆竹还要精彩好看。两人过招时毫不留情，比寻常卖艺之人温吞吞地假比划有看头多了，激起围观的百姓们阵阵喝彩！

哇，精彩绝伦的表演，扑鼻诱人的烧饼香。

平安镇的百姓们边吃烧饼边赏拼斗。

好吃啊好吃，好看啊好看！

***   ***

雷惊鸿和刀冽香从此成了烧饼铺的常客。

两个人还是彼此看对方不顺眼，然而不晓得雪究竟用了什么

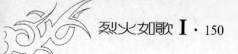

法子，两人终于不再剑拔弩张地随时准备决战了。

这日。

谢小风悄悄地说："如歌姐姐，那个大姐姐为什么总是阴沉着脸好像要发怒的样子？看起来很恐怖啊。"

屋子另一边的刀冽香突然横目瞪过来，吓得小孩子浑身一激灵。

如歌偷笑："她是心情不好吧。"

谢小风凑到她耳边，困惑地问："可是她为什么心情总是不好呢？"

如歌道："可能是因为她放不开。"

谢小风更奇怪："什么叫放不开？"

如歌想一想道："比如一件东西不是你的，你怎样努力也还不是你的，但你宁可死也要把它变成你的，却无论如何都变不成你的。"

谢小风挠头："听不懂啊。"

如歌笑："你还是小孩子嘛，可以听懂的时候就长大了。"

刀冽香的身子僵直，嘴唇抿成一道线。

这时，雷惊鸿走过来，望着谢小风笑道：

"听说你就是断雷庄谢厚友的孙子？"

谢小风挺起胸脯："对！我是谢小风！"

"嗯，不错，"雷惊鸿点头，"小小年纪就已经很有气势……"

谢小风喜笑颜开。

"只可惜，为什么你会生在断雷庄呢？"雷惊鸿摸着下巴叹息。

谢小风虽还不太懂事，却也听出他话夹嘲讽，惊怒道：

"你说什么？"

雷惊鸿笑嘻嘻："小兄弟，我考考你，你知道为什么断雷庄能够在平安镇立足，天下无刀城势力虽大却始终对其退让三分吗？"

这个问题哪里是个九岁的小孩子可以回答的。

如歌将谢小风搂进怀中，愤然道："有什么话直接去对刀冽香讲，不要欺负小孩子。"

雷惊鸿咧嘴一笑，丰润微翘的嘴唇像新鲜的橘子瓣，有股清香。

谢小风却挣脱如歌，昂起头道："因为我爷爷和爹一生仗义行侠，江湖中人都很佩服景仰，所以天下无刀城也对我们很恭敬！"

如歌微笑："小风说得真好。"

刀冽香看向门外，眼底闪过一丝阴霾。

雷惊鸿跳坐在桌上，拍着巴掌笑道：

"多好的回答呀！只可惜事实并非如此！"

他的眼睛似有意无意地瞟一下漠然的刀冽香：

"天下无刀城不是尊敬断雷庄，而是尊敬烈火山庄。断雷庄只不过是烈明镜安放在天下无刀城眼皮子底下的一颗钉子，刀家又打造了多少兵器，来了多少江湖上的朋友，每年的钱财收入有多少，包括新出生了几个婴孩，谢厚友都掌握得一清二楚，事无巨细全部上报烈火山庄。"

雷惊鸿伸个懒腰："断雷庄不过是烈明镜的一条狗，可怜刀无暇仍旧害怕得恨不能去舔谢厚友的屁股，好笑啊好笑！"

谢小风扑过去，咬牙切齿地痛打他，恨声道："你骂我爷爷和我爹，我打死你！！"

他的力道对雷惊鸿连搔痒都不够。

雷惊鸿捉住小孩子的双拳，笑得又可爱又可亲："是不是真的，回去问你爷爷就知道了。"

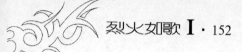

谢小风咬紧嘴唇，愤怒地像疾风一样奔出去，他要去找爷爷，他会让爷爷来教训这个坏人！

如歌瞪着雷惊鸿：

"如此欺负一个小孩子，你难道不觉得丢脸？！"

雷惊鸿好似没有听见，嬉皮笑脸地瞅着一脸阴沉的刀冽香："看哪，一个小孩子都比你们有火性，天下无刀城索性改名为天下窝囊城好了！"

刀冽香冷笑一声。

她的手慢慢放松了身畔的红香刀。

转过头，英气的双目中有嘲讽。

她低声道："雷惊鸿，你莫要以为我真不知道你的打算。"

雷惊鸿挑起眉毛。

刀冽香道："你爹雷恨天狂妄自负，多年来处心经营想取烈明镜而代之，可惜两大世家共进共退，江湖一派祥和之气，完全没有你们施展拳脚的机会。你不过是想要挑起天下无刀同烈火山庄的纷争，好趁机大起风浪罢了。"

雷惊鸿放声大笑："是这样吗？只怕有人自作聪明！"

刀冽香不理会他，继续望着门外，等待雪的归来。

她不会上雷惊鸿的当，也不会再被他激得拔刀相向，大哥说直接把雷惊鸿的话当成屁忽略掉是对他最好的反击！

雷惊鸿抱住双臂笑："哈哈，刀无暇可以忍得住久久臣服在烈火山庄之下吗？恐怕不久就会有变数吧！"

如歌看着他们。

心里忽然觉得很乱。

*** ***

澄蓝的天空。

洁白的云。

太阳很灿烂，却不会太热。

又正好赶上是上香的日子，平安镇上的人忽然显得多了许多。

"香姨娘，您小心些。"

一个梳着双髻的小丫头小心翼翼地扶着一个小腹微隆的清秀少妇。

少妇笑得温婉动人："没关系，我一个人不妨事。"

丫头环儿皱眉道："如果您出了什么事情，媚姨娘肯定会得意到天上去！"

一点幽怨染上少妇唇角。

她轻轻抚住小腹，想到曾经对她柔情呵护的夫君，一时间柔肠百结。

这时。

空气中飘过来一阵烧饼的香气。

环儿耸耸鼻子，忽然想起道："咦，好像听人说起这里有一家叫做雪记烧饼铺的，做出来的烧饼又好看又好吃，名气很大呢！"

少妇依然眉心深锁。

环儿说道："香姨娘，不如我们买几个烧饼回去，少爷说不定会喜欢吃呢！"哼，总不能只让媚姨娘一个人讨少爷欢心。

雪记门前来买烧饼的人很多。

环儿护着少妇挤到前面，对高高的箩筐后面一个忙得满额是

汗的红衣裳女子喊道："姑娘，麻烦给我们一斤烧饼！"

少妇望着那红衣少女，恍惚间觉得有些眼熟，好像在哪里见过，但她始终忙得没有转过头来，也看不大清楚。

如歌快忙死了！

臭雪！这几天不晓得在做什么，整日里早出晚归的，把铺子里的事全交给她打理，还美其名曰给她锻炼的机会！拜托，再锻炼她就要被锻炼到四肢抽筋了！

她边麻利地包着烧饼，边招呼着下一位客人：

"好的！一斤烧饼！您要甜的还是咸的，还是要掺在一起？"

说着，她抬起了头。

怔住。

眼睛眨了眨。

笑容像突然绽放的花朵，如歌惊喜地喊出来：

"香儿姐姐，是你？！"

那小腹微隆的少妇，双眼像小鹿一般温顺柔美，微笑像小河边的芦苇一般楚楚惹怜，可不正是当初为葬母卖身入品花楼，后被刀无暇买下的丫头香儿！

***　　***

"我见到了香儿姐姐。"

吃晚饭的时候，如歌对雪说。

雪在吃一根青菜，风姿优雅得好像在做一件世间最美的事情。

"香儿？你记得吗？"

如歌怀疑地看着他，不晓得他会不会对一个小丫头有印象。

雪笑得很可爱："我只记得你。"

果然。

如歌沮丧地垂下头。

"香儿怎么了？"看她好像很失落，雪装做很有兴趣的样子。

啊，终于得到了回应！

如歌开始一五一十地讲起来。

雪托着下巴，笑道："也就是说，刀无暇最终娶了香儿做第五房姨娘。很好啊，不用在品花楼伺候姑娘们了。"

如歌道："可是，是第五房姨娘啊，刀无暇怎么已经娶了那么多姨娘了呢？他看起来似乎特别正经的样子。"

雪笑得打跌："多娶几房姨娘就不正经了吗？"

如歌瞪他："笑什么，是不是男人都喜欢三妻四妾？！"

雪作赌咒状：

"对天发誓，我生生世世只喜欢你一个人！"

如歌白他一眼："我痴呆了才会相信你！"

雪瞅着她：

"就算你痴呆了，我也会守着你。"

受不了，她拍拍胳膊上竖起来的汗毛，转回刚才的话题——

"可是，我看香儿姐姐的神情好像很忧伤。她刚怀了宝宝，应该开心才对呀……而且，她的丫环好像提到刀无暇又刚娶了一个新姨娘，怎么会这样呢？"

如歌喃喃说着，抬头却发现雪出神地望着窗外，脸上有种捉摸不定的神情。

"雪，你怎么了？"

她从来没有见过他这样，仿佛有心事，眉眼间有担忧。

雪笑一笑。

如歌望住他："你这几天总是早出晚归的，有什么事情吗？"

雪摇摇头，笑道："别担心。"

希望一切不会如他预料，希望一切只是他算错了。

窗户是开着的。

月亮忽然被乌云遮蔽。

一道暗红的光在夜空掠过。

雪的手指骤然一紧！

*** ***

平安镇。

惊天血案！

两天前的午夜，素有侠名的断雷庄庄主谢厚友被刺杀在自己的卧榻之上，一剑贯心！

断雷庄与烈火山庄向来交好，谢厚友更是烈明镜的知交之一，往来甚密。江湖更一向认为断雷庄是烈明镜特意设在天下无刀城旁的，目的是为了防止刀家不断地扩张势力。

谢厚友被杀。

为何被杀？

被谁杀？

一时间成为武林公案。

平安镇也顿时成为了江湖人士的聚集地。

雪记烧饼铺。

如歌的眉头一直没有松开过。

很长时间没有见过小风了，出了这么大的事情，不晓得一个小孩子能否吃得消。

"我想，杀害谢厚友的八成是天下无刀的人！"

烧饼铺旁边的露天馄饨摊，七八个拿着各式兵器的草莽大汉肆无忌惮地高声谈论着。

"有道理！谢厚友是烈火山庄派来监视天下无刀的，一定是他发现了什么大秘密，才会被灭口！"

"不一定吧。天下无刀若要下手，为何不做得隐蔽些？这么招摇地将人杀掉，实在不像刀无暇的作风。"

"对呀！"

"或许是故布疑阵？！"

"喂，有没有这种可能？是烈火山庄眼见天下无刀渐渐势大，找个借口想要除掉它，于是谢厚友就成了倒霉鬼。"

"哇！太狠了吧！"

"狠？！当年烈明镜的结拜兄弟战飞天死得蹊跷古怪，那才够狠呢！战飞天，天神般的人物都死得轻轻松松，谢厚友算得了什么？！"

"嘘，声音小点，听说烈火山庄青火堂的探子到处都是，小心把你捉回去剥掉皮吃了！"

"还有一种可能——"

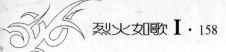

"什么？"

"据说有人看见江南霹雳门的少主雷惊鸿在这里出现过。会不会是他杀了谢厚友，嫁祸给烈火山庄和天下无刀，想趁机蹚浑水？！"

"对！不排除这种可能啊！"

"……"

"……"

"哈哈哈哈！！！不管怎样，江湖中必然会掀起狂风巨浪，兄弟们可以擦亮眼睛等着看好戏了！"

"哈哈哈哈哈——"

"丫头！"

雪的手在失魂的如歌面前招了招。

如歌慢吞吞眨一眨眼睛：

"啊？"

雪将箩筐收到一起，笑道："呆丫头，烧饼已经卖完了，还发什么愣？"

如歌点点头，一声不响地从他手里接过箩筐，向铺子里面走。

然后，她坐在凳子上继续发呆。

雪俯下身子，仔细打量她："喂，有心事跟我说一说好不好？"

如歌瞅着他。

半晌，终于道："你觉得，是谁杀了谢厚友？"

雪笑起来，笑得有点怪异。

"你希望是谁杀了谢厚友呢？"

如歌的眉毛拧起来：

"这话什么意思？我希望是谁杀了谢厚友，就是谁杀了他吗？

我希望根本没有这些事情发生！"

雪凝视她，叹息道："事情已经发生了。你希望是烈火山庄做的吗？"

"不！"

如歌惊声。

"希望是天下无刀吗？"

如歌摇头。多年的平静不能轻易被打破。

"那么，希望是雷惊鸿做的？"

如歌依然摇头。

江南霹雳门如果真下此毒手，一场腥风血雨势必不可避免。

雪轻轻坐到她身边，轻轻搂住她的肩膀。

他的声音很轻：

"放心，有人会处理得很好。"

***　　***

"枫儿，断雷庄的事由你处理。"

烈火山庄。

烈明镜背手而立。

傍晚的夕阳将他的白发映得发红。

战枫站在他身后，一双眼睛幽黑得发蓝，右耳的宝石透出森森的寒意；他少年的身躯挺拔而阳刚，像落霞中孤独的战神。

"是。"

他回答。

烈明镜转身拍拍他的肩膀："好孩子，不要让我失望。"

战枫垂下眼睛:"是。"

烈明镜看着疏离冷漠的他,眼中微微一怔,心底五味杂陈,不由缓声道:

"枫儿,有些事情比看起来要复杂得多。你父亲……"

电光火石间,一张张面孔从他脑海中闪过,仿佛有一只魔手卡住他的喉咙,让他再也说不出话。

战枫冷道:"是。"

他知道很多事情比看起来要令人作呕得多。

烈明镜挥挥手:"你走吧。"

战枫退下。

战枫身影走远。

竹林中闪出一道灰色的影子。

裔浪双目中有残忍的死灰,对烈明镜道:"可以放心吗?"

烈明镜闭上眼睛。

沉声道:"相信他一次。"

夕阳中。

战枫走到了荷塘边。

这里已不能再叫做荷塘。

如歌离庄前,命人用泥土将池塘完全填埋起来。

没有荷花。没有荷叶。

也没有了水。

一片荒废的土地,看起来似乎荒唐得可笑。

战枫微微眯起了眼睛。

CHAPTER 8
LIEHUO RUGE I

战枫，十九岁。

手中一把"天命"刀，刀法狠辣。

性情坚忍、无情。

据说他十七岁时开始杀人，在他刀下不分男女老幼，凡是他认为该杀之人，皆一刀两断，死状极惨。

这次断雷庄血案，烈火山庄令战枫出面解决。

人间烈火，冥界暗河。

随着暗夜罗神秘消失，暗河宫仿佛在人间蒸发。烈火山庄成为了江湖的主宰，它的判断，就是武林的决定。

没有人可以违抗。

而战枫，就要作出一个判断。

是谁杀了断雷庄庄主谢厚友。

*** ***

深夜。

天下无刀城。

白胖的刀无痕抚弄酒杯："战枫应该知道，他作出的判断可能会使武林大乱。"

刀无暇锦衣玉袍，手中纸扇轻摇，笑容无懈可击：

"他是个很聪明的人。"

刀无痕道："战飞天的儿子，应该不会差到哪里。"

刀无暇微笑道："身为战飞天之子，他更加不能做错事情。"

两人相视一笑。

笑容中有说不出的意味。

刀无痕饮下酒："那就可以放心了。"

刀无暇摇扇轻笑：

"战枫必定会作出最正确的判断。"

*** ***

清晨。

如歌打开店铺的门，将一箩筐热腾腾的烧饼抬出来。

她看看天色，乌云阴阴地压得很低，似乎会下雨。或许是阴天的缘故，也没有阳光，街上的人很少，有种萧瑟的感觉。

秋天，快来了吗？

她觉得胸口莫名地有些堵，好像有一些不好的事情要发生，却又说不上来。

她吸一口气，想要把奇怪的感觉赶走。

却忽然怔住。

好似自烟雾中，街的东面走来两个人。

一前一后。

前面的人二十五岁年纪，背着一柄造型奇特的古剑，面容带些忧郁，眼睛却很有生气。如歌知道他，他是烈火山庄排名前二十位以内的杀手，名字叫做钟离无泪。

后面的少年气息很冷。

一袭蓝色布衣，身子又挺又直，幽黑发蓝的卷发在晨风中轻轻飞扬，一双黯黑的眼睛冷漠孤寂。

如歌自然也认得他。

战枫。

阴沉的清晨。

空气似乎也是灰灰的。

雪记烧饼铺。

如歌怔怔地站在冒着热气的烧饼后面。

一只白色小鸟扑喇喇飞过。

战枫——

仿佛没有看见她。

从她面前走过。

笔直地漠然地从那箩筐烧饼前面走过。

烧饼的热气晕染了如歌的睫毛，白色的雾珠让她觉得眼睛一阵湿凉。

她握紧拳头，忽然朗声笑着招呼道：

"公子，要买烧饼吗？我们的烧饼又香又酥！"

为什么要装做视而不见？既然放下了，他又跟普通的客人，跟满大街的行人有什么不同呢？在这里，她只是一个卖烧饼的，招揽顾客是她最重要的事情。

战枫站住。

他没有想到她会叫住他，他以为她恨他。可是，当他转过身望住她清澈的眼睛时，他忽然间知道——

她已经放下了他。

在她的眼中，他已经和千千万万的路人毫无差别，只是一个她认为会买烧饼的人。

战枫冰冷。

他垂下眼睛，眼底的深蓝无人可见。

他伸出手，手指镇定有力，拿起箩筐最上面的一个烧饼，烧饼很热，他的手指微微颤了一下。

如歌望他一眼。

微笑问道："公子，要我为你包起来吗？"

战枫没有说话，将烧饼握在掌心，继续向前走，仿佛他从来没有停下来，也根本没有买过烧饼。

只是，这烧饼他一直握在掌心。

两人的身影消失在街角。

天很阴。

晨风很凉。

如歌扶住木案，闭上眼睛，只觉一阵金星在脑中飞冒。

这时，雪的声音淡淡传来："笨丫头，你忘记收钱了。"

如歌想一想，失声笑道：

"是啊，我忘了！"

雪摇头叹息："败家呀，今天就罚你卖一整天烧饼，不许休息！"

如歌应道：

"是！"

雪看她重又精神奕奕了，不由也微笑了。

如歌望着他如花的笑容，心中忽然一阵暖意，脱口而出：

"雪，谢谢你。"

白衣耀眼，笑容耀眼，雪瞅着她：

"真要感谢我，就永远和我在一起。"

他的眼中有深邃的感情。

如歌疑惑地盯着他，蓦地，感到有些不妥。

***   ***

两天后。

烈火山庄公告天下——

杀害谢厚友的人是断雷庄的副庄主，也是谢厚友的女婿，曹人丘。

曹人丘为了谋求庄主宝位，长期在谢厚友饭菜中下毒，所以才会如此轻易得手。

认识曹人丘的人都很惊奇。

曹人丘实在不像是个会杀死自己恩师兼岳丈的人，他总是显得很朴实仁厚。

但是，从得知烈火山庄公告的那一刻起，江湖上所有的人都认定了，曹人丘就是杀害谢厚友的人。因为，这个结论是烈火山庄做出的。

没有人会去怀疑烈火山庄。

也没有人敢去怀疑烈火山庄。

就算是谢厚友自己活过来告诉人们，他不是被曹人丘杀的，也没有人会相信。

烈火山庄的判断，永远是正确的。

那日午后。

布衣少年雷惊鸿拍掌大笑："哈哈，看来我以前的确小觑了战枫！"

如歌抿紧嘴唇，盯着他。

雪用一帕雪白的方巾，轻轻擦拭通身剔透的红玉凤琴。自从来到平安镇，他已许久没有弹琴了。他低头轻笑：

"雷郎，战枫绝非莽夫。"

雷惊鸿飞身过来，蹲在雪身旁，笑嘻嘻道：

"不错，他居然可以想到找曹人丘做替死鬼。这样一来，烈火山庄、天下无刀城和咱们霹雳门都能脱身世外，江湖依然一片太平，四两拨千斤，实在是高明！"

雪微笑道：

"是，战枫作出了正确的决定。"

正确的决定？

一切都只是战枫的决定吗?

如歌的脸孔有些苍白,她盯紧雷惊鸿:

"曹人丘呢?"

雷惊鸿被她的模样吓了一跳:"什么曹人丘?"

"果真是曹人丘杀的谢厚友吗?"她沉声道,"战枫可有证据?"

为什么,他们只在说谁杀谢厚友能使天下太平,而不关心那被推出来的人究竟是不是凶手?

雷惊鸿笑得仿佛她是个三岁的孩子:"哈哈,多可笑的问题。战枫既然说曹人丘是凶手,自然可以拿出证据来,可是这证据又有谁敢真正去查一查呢?嘿嘿,烈火山庄是什么样的地位!"

"那么,"如歌的眼睛亮得惊人,"你也不知道事情究竟怎样,为什么又要胡说八道,指责战枫是找曹人丘做替死鬼?!"

雷惊鸿瞪大眼睛!

这个品花楼的小丫头、做烧饼的小姑娘居然当面骂他胡说八道!

他仿佛才第一次打量如歌。

她在生气,倔强的眼底似有火焰燃烧,鲜艳的红衣烈烈飞扬,她整个人就似一团烈火,强烈逼人的气势让他一时滞怔。

雪拨弄琴弦。

琴音如屋外突然开始飘落的雨。

雷惊鸿愤然道:"曹人丘本来就是替死鬼!我敢用脑袋担保,杀死谢厚友的必定是天下无刀的人!只是战枫顾虑到各方利益,才将曹人丘推出来送死!"

"你胡说!"

如歌怒吼。

雷惊鸿气得大笑："做烧饼的臭丫头你知道什么?!执掌天下武林,靠的不是事实真相,而是局势的需要!需要曹人丘是凶手,他就只能是凶手!"

雪轻道:"雷郎,够了。"

如歌气得身子发抖:"如你所说的天下武林,不要也罢!如果曹人丘不是凶手,谁也不能诬陷他!"

雷惊鸿毕竟年轻气盛,虽然不想惹得雪不开心,但被如歌一顶,依然忍不住冷笑道:"只怕他已经变成死人了,是不是凶手有什么要紧。"

"你说清楚!"

如歌声音微颤。

雷惊鸿抱住双臂,悠然笑道:"战枫岂能容他活下去,定是要将他灭口的,只不晓得,那个谢小风是否可以活下来。"

如一盆凉水从头至足浇下!

如歌惊怔当场。

雪寒声道:"雷郎,你话太多。"

雷惊鸿见他俊容含怒,像冰层中煞白的雪花,不由心中打鼓,一脸堆笑:"好,好,我就此闭嘴。"

这边。

屋门像被狂风劈开!

如歌咬牙奔了出去!

天空阴沉得像化不开的噩梦。

乌云浓密。

街上早已没有一个人。

红衣的如歌在雨中奔跑，她已顾不得担心会不会被人发现在使轻功，她要用各种办法找到战枫！

她一定要找到战枫！

雨，自大开的屋门飘进来。

雪的手指抚弄着琴弦。

没有曲调，是一声声高音的叹息……

***　　***

夏日的雨，来得快去得也快。

太阳灿烂地自云层钻出来，映照出荷塘金光闪闪。

满塘碧绿的荷叶在阳光映照下，摇出清香。

曹人丘面色蜡黄，额上净是豆大的汗珠，他惊恐地望住面前的蓝衣少年，声音颤抖而干涩："师父不是我杀的！我没有杀他！"

只在一夜间，他从披麻戴孝的半子，变成了残杀师父兼岳丈的凶手。自烈火山庄宣布谢厚友是为他所杀的那一刻，他知道他的生命已经结束了。没有人会相信他，人人认为烈火山庄是永远正确的。

可是，他不想死！

他要逃出平安镇，找一处远避世人的地方生活下来。原本只想一个人走，但被机灵的儿子发现了，一定要同他在一起。于

是，他带着九岁的小风开始逃亡。

只逃亡了半个时辰。

逃到镇郊的这个荷花塘。

战枫和钟离无泪出现在他面前。

谢小风觉得爹很奇怪。

爹为什么要那么害怕地对蓝衣男子说爷爷不是他杀的呢？爹怎么会去杀爷爷呢？他也不明白为什么爹要离开平安镇，为什么要偷偷地走，使他来不及跟伙伴们道别，也没办法同漂亮的雪哥哥和如歌姐姐约好什么时候再见。

谢小风吃惊地发现爹的腿在发抖，他心目中顶天立地的爹在满额冷汗地对蓝衣男子不停地说，爷爷不是他杀的。

可是，那蓝衣男子似乎根本没有在听爹的话。

风，带着荷叶清香，微微吹动战枫的发。

战枫没有拔刀，高大挺直的身子静静站立。

他一身深蓝的布衣，头发浓密而微微卷曲，幽黑得发蓝，右耳有一颗幽蓝的宝石，映衬着他幽黑得发蓝的双眼。

他的眼中却突然有了抹碧绿。

荷塘中碧绿的荷叶，缀着雨珠，透出阳光璀璨的七彩，这晶莹美丽，让他的眼睛轻轻眯起。

钟离无泪在战枫眯眼的一瞬间拔剑。

剑光如荷叶上溅起的一串水珠，直指曹人丘！

曹人丘在战枫眯眼的那一刻，看了看自己的儿子。

他知道自己必定会死，如果他遇到的是性情温和的玉自寒或者是刚烈正直的姬惊雷，或许还会有解释的机会，还会有活下来的希望，可是，他遇到的是战枫。

战枫是烈火庄主的大弟子，为人阴沉冷酷，凡是他认定的事情，绝无转圜的余地。

曹人丘原本想拔刀。

他知道只要战枫眯起眼睛，就是杀人的讯号。可是，他的手刚放在刀柄上，就放弃了。他绝不可能战胜战枫，甚或是战枫身后的钟离无泪，那么，他还不如用最后这点时间，好好看看自己九岁的儿子——小风。

谢小风看到了那一剑！

他的眼中满是恐惧，小脸上全是惊恐和慌张，他抱紧父亲的腿，眼睁睁看着那一剑刺向父亲的喉咙。

爹……

他想喊出声，提醒父亲当心那一剑，声音还未来得及冲出嘴巴，就感到一股热腾腾腥气的液体，自他头顶滚落下来，沾在他稚嫩的嘴唇上！

谢小风惊慌地仰起脸，向上看。

爹的喉咙好像一个喷泉，无尽无止地狂涌出鲜血，鲜血染污了爹的衣裳，溅下来也染红了他的衣裳。爹张着嘴，看着他，目光很慈爱，想是有话要对他说，但是，喉咙被刺穿的人，任是怎样努力也说不出话。

曹人丘倒地。

倒在谢小风脚下。

喉咙处的鲜血在将大地染红后，终于停止了奔流。

谢小风只有九岁，然而他知道，他的爹死了，被面前的这个男人用剑杀死了；他还知道，命令男子杀人的是那个看起来很年轻的蓝衣男人！

战枫长身伫立，凝视荷塘里的一角。

那里，在重重荷叶的簇拥中，静静绽开了一个花苞。

花苞粉白粉白，仿若她白里透红的肌肤。

或许是今夏的最后一朵荷花，被风一吹，发出银铃般娇娇的笑声。

"你杀了我爹！！我要杀了你！！！"

尖叫着！

嘶吼着！

一个沾着血污的孩童的身影闯进战枫的视线。

战枫微微皱眉，一时间，他想不起这个孩子是谁。

钟离无泪阻住孩子。

谢小风的身子在钟离无泪的双手中拼命挣扎，他狂恨地对战枫怒吼："你为什么要杀我爹？他是好人！他没有杀爷爷！"

战枫望着那朵荷花出神，半晌道：

"杀死你爹的，不是我。"

"就是你！是你下命令杀死我爹的！我全都看到了！你的神态就是杀人的指令！"

谢小风怒目龇牙，他发誓他今生定要亲手为父亲报仇，所以，他一定要记清楚这个蓝衣男子的容貌。

轻风吹皱水面，粉白的花苞在碧绿的荷叶间娇笑。

骤起的身影像一抹蓝天，在荷塘里，飞云般打个转。

战枫低下头，嗅着指间的荷花，轻声道：

"杀死你爹的，是天命。"

"是你！就是你！我发誓我会杀了你！"

谢小风仇恨地吼着！

战枫沉默。

然后慢慢走近谢小风，托起他的下巴，打量他。

这么小的一个孩子，大约只有八九岁，刻骨的仇恨，聪明的脑袋，倔强的性子，假以时日好好培养，应该是会有出息的。

可惜——

钟离无泪双眼蓦地张大，瞳孔收紧。

双手中，谢小风的身子猛然软下来，脖子以一种奇怪的角度扭曲着，几缕鲜血滴滴答答从嘴角淌下，体温越来越冷，生命在一瞬间被那个手指拈着花苞的蓝衣男子抽走。

战枫望着孩子，声音很静："杀死你的，是你自己。"

钟离无泪身上窜起阵阵寒意。

他也杀过很多人，但是，像这样平静地杀死一个孩子，却从来没做过。

夏末的傍晚。

战枫将塘中最后一朵荷花揣在怀里，眼底幽黑深邃：

"将他们埋了。"

*** ***

满塘的荷叶被风吹得翻舞。

荷塘另一边。

如歌全身的神经一根根死去。

她死死盯住荷塘对面的蓝衣少年，一动不能动！

她刚刚赶到。

她晚来了一步。

她眼看着谢小风的生命终止在战枫的指间！

荷花在衣襟中吐着芬芳。

战枫自碧绿的荷叶间望去，似乎看到了一个红衣裳的少女。

他曾经发誓用一生去保护的少女。

为了保护她，他宁可伤害她，也不愿使她生活在地狱中。

战枫望着她。

她那双愤怒的眼睛忽然使他明白，她是真实的，而不是夜夜
撕裂他的梦。

夕阳晕红。

荷塘边。

如歌站到战枫面前。

她盯紧他的眼睛："你杀了谢小风。"

战枫道："是。"

如歌道："理由？"

战枫道："他将来会是敌人。"

如歌冷笑道："因为你杀了他的父亲。"

战枫不语。

如歌道："告诉我，你真的认为是曹人丘杀了谢厚友？"

战枫面无表情："只能是他。"

如歌愤怒道："这算什么回答！"

战枫眼中有讥讽："这是惟一正确的方法。"

"方法？"如歌怒笑道，"在你眼中，别人的生命只是解决问题的方法而已吗？"

战枫沉默。

满塘荷叶翻飞成碧浪。

如歌敛起面容，沉声道："拔刀，我要替谢小风讨回公道。"

战枫摇头："你不是我的对手。"

如歌挺起胸脯，笑："是吗？那要试过才知道！"

烈——火——拳——

似酷暑的烈焰！

如歌的拳头击出，满塘荷叶好像瞬间被烧焦一般，卷曲着，发黄着。

她已变成一团烈火！

可以将世间万物焚烧的烈火！

***   ***

那一夜。

雪一直在等如歌。

铺子的门开着，月光洒进来，有蝈蝈声，有蛙叫声。

雪的手指拨着琴弦，目光却始终望着屋外的街。

白衣如月色皎洁。

终于。

街上传来凌乱狼狈的脚步声，像惊惶失措的迷路孩子。

雪轻轻扬起优美的双眉。

如歌"扑通"一声撞进屋里，鲜红的衣裳似乎被刀气伤得缕缕飞舞，她像失了魂的艳色蝴蝶，面容煞白，嘴唇却血红。

她的眼睛里没有雪。

身子一软，扑倒在冰冷的地上。

然后开始放声痛哭！

她像孩子般痛哭，哭得浑身发抖，哭得有些干呕，哭得四肢开始抽搐。

雪望着她。

这是第一次见到如歌哭。

以往，她无论遇到怎样的情况，也会去笑，哪怕笑得很勉强。他以为，她坚强的笑容让他心痛，没想到，她的哭泣却让他心碎。

雪坐在地上，将哭得全身冰冷的如歌抱进怀中。

他爱怜地抚弄她散乱的黑发，轻声道："不要哭了，你不是已经放弃了吗？"

如歌挣脱他，眼睛红肿如喷火：

"我恨他！"

她恨他！他可以不喜欢她，可以将她扔下，但是，他怎么可以毫无人性地去杀死一个九岁的小孩子？！那孩子，舞鞭炮舞得像飞龙一般出色；那孩子，吃腻了烧饼，喜欢吃糖葫芦；那孩子，长大后想成为一个英雄。

战枫，眼睛也不眨地就杀了谢小风。

谢小风的脑袋没有生气地垂下来，嘴角的血丝猩红，再也无法喊一声——

"如歌姐姐……"

如歌也恨自己。

恨自己为什么这样没用！她五岁开始习练烈火拳，足足练了十一年，却始终无法练到精髓。她就像一个笨蛋，在战枫的天命刀下显得滑稽而可笑。

战枫就像在逗她，一刀刀挑散她的头发，裂开她的衣袖、裙角。她的拳头就算击上他的胸膛，他的表情也仿佛只是被蚊子叮了一口。

月色如水。

屋内。

雪低语道："你的恨，就是对他最大的诅咒。"

如歌没有听见，她满腔的只有愤怒！

她握拳大吼道：

"为什么？！难道我只是一个没有用的废物？！"

第一次，她想要变强！

或许，只有让她变强，才能使世上少一些悲哀的事情！

这一刻。

雪脸上的忧伤，只有月亮看见了。

　　于是月亮也开始忧伤。

　　雪听到了如歌心里的声音，他知道，当倔强的她终于决定要去做一件事情时，是他无法阻止的。

　　她的力量，也不再是他能够封印的。

*** ***

　　"咳！"

　　战枫捂住胸口，猛咳出一口鲜血！

　　烛火下。

　　他的双颊有诡异的潮红，右耳的宝石幽蓝得仿佛暗光流动。

　　钟离无泪离开，为战枫关上客房的门。

　　他知道，此时的枫少爷，最不需要的是别人的打扰。月光下，他不由想起那个生命忽然被夺去的孩子。

　　钟离无泪的双眼黯然。

　　或许，他是不适合做杀手吧。

　　战枫的胸口痛得欲爆裂！

　　如歌的拳头居然有如此威力，想来以往有些小觑了她。果然是烈明镜的女儿啊，发怒的气势俨然有霸主之风。

　　他的右手伸入胸襟。

　　苦笑。

　　粉白的荷花之苞，早已被如歌的拳打成一团烂泥，指间只余下一缕幽淡的清香，和透明的花汁。

　　今夏最后一朵荷花，毕竟还是留不住。

战枫将残余的荷花屑扔出窗外!

这时。

钟离无泪的声音从屋外传来。

"枫少爷,天下无刀城刀无暇公子、刀无痕公子到。"

战枫拭干唇角的鲜血,淡然的面容如传说中一般无情。

"进来。"

CHAPTER 9
LIEHUO RUGE I

曹人丘死讯传出。

江湖恢复到昔日的平静。

已经是初秋。

天下无刀城的后园中，亭台流水，绿树妍花。

石桌上有几碟精致的糕点，和一壶上好的绿茶。

香儿笑得婉柔：

"歌儿，你终于有空到这里来玩。"

如歌望着她隆起的小腹，好奇道：

"香儿姐姐，孩子会什么时候出生呢？"

"大约会是深冬。"

如歌微笑："好啊，都说冬天出生的孩子脾气好，将来一定又孝顺又贴心。"

香儿抚住腹部，脸上有幸福的光芒："希望这样。"她以后的人生全依托在这孩子身上了。

如歌打开手边的小包袱，拿出一套小衣服小鞋小帽子。

"这是我赶出来送给小孩子的，手工不是很好，但布料很软和，应该可以贴身穿。"

香儿望住她，心里一酸，握住她的手：

"谢谢你。"

她声音哽咽住，再说不出话。妾侍们已经为刀无暇生有三男二女，她肚里的孩子没有人稀罕，他只是命人多给她炖些补品养身子，便再不关心。两个多月，只听说他经常去媚姨娘处，并未见过面。此刻，见到如歌关心的眼神，虽只是几句话语，已使受人冷落的她百感交集。

如歌拍拍她的手，笑道：

"人家都说有身子的女人爱动感情，看来一点也没错呢。不过，只可以笑，不可以哭啊，否则孩子一出生就会像个小老头的！"

香儿"扑哧"一声笑出来：

"乱讲！"

如歌拍手笑："看啊，笑起来的香儿姐姐多美丽。"

香儿被她一搅和，感伤霎时烟消云散掉。两人开始说一些品花楼别后各自的情景。

香儿忽然道："你知道那个媚姨娘是谁吗？"

如歌疑惑道："莫非是我认识的。"

香儿笑得有些奇特："对。她就是——"

"香姨娘！"

环儿从小径远处跑来，喘得上气不接下气："香姨娘，胡大夫来给您开补药方子了，说需要再给您把把脉。"

香儿为难地皱起眉头。

如歌笑呵呵："姐姐只管去吧，身子要紧啊，我会在这里等你的！"

香儿抱歉道："那就怠慢了。"

如歌摆着手说道："去啊，去啊。"

香儿同环儿走了。

花园中只余如歌一人。

她站起身，慢慢打量眼前这片景色如画的园子。天下无刀城，只看这飞檐金瓦的气派，便已不输烈火山庄。

忽然。

自树木遮掩间，她见到一个黑衣男子神情匆忙，手拿信笺向东面奔去。

如歌目光一紧。

*** ***

郁茂的梧桐树旁，一个白色亭台。

四面鹅黄竹帘垂下。

隐约三个身影。

谈话的声音压得极低。

"战枫果然选择了曹人丘。"

"他是明智的人。"

"既然如此，一切就按计划行事。"

"是。"

"另外，京中传来消息……"

纸扇轻摇声。

"静渊王身子越来越弱……"

"哼，只怕离死已经不远了。"

"没想到……"

"这样也好。"

"嘱咐他们再小心些，毕竟他是……"

"……"

笑声低沉地自白亭中传出。

梧桐树浓密的枝丫似乎被风吹过，刷啦啦响了一阵。

竹帘一卷。

刀无痕目光如冷箭向梧桐射去！

一颗石子打在梧桐的枝叶上，又一阵轻响……

只见一个粉裳微透、面容娇媚的少妇抓着几只石子，边朝树上掷，边笑着道："淘气的鸟儿，藏到树叶后面我就瞧不见你了吗？"

一只翠翅黄身的画眉儿，振翅从枝叶间窜出，飞到少妇手背，啾啾昂首啼叫。

刀无暇合扇叱道："你怎会在这里？！"

美少妇撒娇道："这园子难道是我不能来的？！你也太霸道了，连逗只鸟也不许吗？人家要生气了！"

刀无暇面色不豫："白亭周围不许杂人走近,这规矩你会不懂?!"

美少妇薄怒道:"鸟儿欺负我,你也欺负我,它飞着飞着就到了这里,可不是我让它来的。还不是知道你素日里疼它,我才紧张怕它飞丢了,原来又是我做错了!"

刀无暇只觉跟女人争辩是天下最无聊的事情,拧眉离开了白亭。

黑衣人跟随着。

刀无痕走的时候瞟了一眼粉衫女子,果然骚媚入骨,怪不得大哥念念不忘,今次又格外心软。

白亭里空无一人。

过了一会儿。

美少妇对梧桐树低声道:"下来吧。"

自粗壮浓茂的树干枝丫后面,一个红色身影轻盈跃下。

少女一双清澈的大眼睛瞅着美少妇,吃惊道:

"是你?"

茂密郁绿的梧桐树下。

美少妇妩媚风流,似笑非笑。

她——

居然是当夜离开品花楼的百合姑娘。

如歌忽然笑道:

"终究成功的还是你。"

百合嘲弄道:"男人,无论如何装模作样,骨子里喜欢的还是那个调调。"

如歌又悟道："原来你就是媚姨娘。"所以香儿的神情才那样奇特。她微笑道，"恭喜你，得到了你想要的。"

百合斜睨她："知道我为什么救你吗？"

"愿闻其详。"

百合的唇边有冷笑："我恨不能让天下人知道，如今我才是天下无刀城最得宠的女人，品花楼的姑娘们纵出尽百宝扮做清高，也依旧不过是让人瞧不起的妓女。"

如歌叹息："你会一直是刀无暇最宠爱的女人吗？"

百合讥笑道："男人，是天底下最喜新厌旧的东西，我怎会做如此打算。只不过，待我得到了我想要的，天下无刀城亦不过是台阶罢了。"

如歌看着她，说不出话。

百合瞟她一眼："你是否很羡慕我？"

如歌笑一笑："是啊，羡慕得很。"如果她的羡慕可以使百合开心，那就让她开心好了。

百合摆摆手："你走吧，我不会说见过你。"只当还她昔日赠药之情。

如歌谢过。

画眉儿在百合的香肩上婉转啼叫。

望着红裳少女消失的背影，百合暗暗心惊。

他怎知在白亭会发生这些事情？世上的一切似乎都在他的掌控间。莫非，那些传说竟会是真的？

***　　***

傍晚。

归来的如歌在雪记烧饼铺外面怔住，她有些吃惊，因为她听到了从里面传出的古琴声。

曲调那样忧伤……

在哀伤的琴音中，初秋的风仿佛飘着冬夜的雪，寒冷和绝望使她的手指尖都透出凉意。

她慢慢推开屋门。

优美修长的手指抚拨着琴弦，每一挑，都像惊破了一个美梦，柔亮的长发宁静地散在耀眼的白衣上，雪的背影显得出奇的寂寞。

"雪？"

如歌担心地喊着他的名字。听过无数次他的琴声，总是像清晨的小溪流水一般明快欢愉，让她的心事慢慢化开，而这一刻，她忽然发现，他似乎并不像自己认为的那样快乐无忧。

她忽然间觉得。

他是世上最忧伤的人。

雪转过头。

笑容像春满大地，百花俱开，灿烂的阳光带着沁人心脾的花香，一时间，简陋的屋内仿佛有万丈光芒射出！

"臭丫头，怎么回来这么晚？"

如歌忍不住揉揉眼睛，难道是她眼花了？雪这样快乐，她居然会感到有忧伤的气息，肯定是脑袋坏掉了。

吃饭的时候。

如歌用竹筷夹住一块豆腐，犹豫许久，终于问道：

"雪，你有心事吗？你是否不快乐？"

她刚才的感觉那样强烈！

雪捉住她的手，一口将她的豆腐吃掉，笑得像个孩子：

"只要能在你身边，我就是世上最快乐最幸福的人！"

如歌望着他。

雪的笑容柔和似夏末的茉莉花香。

如歌的心却在往下沉。

她悄悄握紧拳头，强笑道："为什么？"

雪微笑道："因为我喜欢你啊，我说过很多很多次了，你全都没有留心吗？"

如歌瞪他："你总是在逗我。"

雪笑得有些伤感："哪里会用这种事情逗你呢？自然是喜欢你，喜欢到什么也不在乎，只想守在你身边。"

竹筷跌在木桌上。

如歌惊慌地站起来："我吃饱了，你慢用。"说着，慌张地想离开。

雪抓住她的手。

如歌惊觉，他的手居然比冰雪还寒冷。

雪仰着绝美的脸庞，轻笑道："丫头，你说怎么办好呢？我想用世间所有的一切换得你对我的爱，可是，你却想要逃。"

他的手将她抓得紧紧的。

如歌喘不过气。

他将她拉到身边，抱住她的腰，将脸孔埋在她香软的腰腹

间，低声道：

"丫头，我真的喜欢你。"

所以，不要离开我，好吗？我爱了你那么久，在这世间，我忍受了那么长久的寒冷和孤独。终于，我来到了你身边。即使不喜欢我，也不要离开我……

雪的脑袋埋在如歌的腹间，像一个撒娇的孩子，有着执拗的绝望。热气从她的腹间升起，如歌失措地张着双手，不知该摆在哪里。

良久，她轻轻推开雪。

她轻轻地说：

"雪，我不喜欢你。"

很轻的一句话。

就像天地之初的第一片雪花，轻盈盈飘落……

感觉不到寒冷。

只是就那样落在心尖上，永远也不融化。

如歌努力去微笑："不对，不是不喜欢你。和你在一起这么长时间，其实已经很喜欢很喜欢你了。只是……"

雪的眼神有些恍惚。

她心下一阵凄楚，突然想到，当时战枫对她说着绝情的话，她的神情是否如此刻的雪一样呢？

她咬紧了牙。

如果她不能给他相同的感情，那么，就放他走。她知道，无望的感情，给人的伤害会多么残酷。

如歌硬起心肠，接着说："……只是，我对你没有那种感觉。永远也不会有那种感觉。"

雪笑得有点失措："你在说，你不会爱我吗？"
笑声中有悲怆。
她说，她不爱他。他不相信那个诅咒，可是，为什么，他觉得噩梦扼住了他的喉咙，有鲜血的腥气往上冲？！

如歌知道自己是不可饶恕的人。
如果她不是想当然地认为雪只是在戏耍她，如果她当初坚决地不让他跟随，或许，就不会如此伤害到他。
可是，不能再错下去了。
她点头：
"是。我不爱你。"
她听到声音从她口中传出，她看到雪的面容霎时苍白，在那一瞬，她忽然担心他会立时死去。

然后，是寂静。
初秋的夜。
无月亦无风。

苍白的笑容像暗夜的白色茉莉，雪的眼睛有火苗闪动：
"再多一些时间，试着爱我。"
如歌闭上眼睛。
雪站起来，搂住她，轻声说："你会爱上我的，因为——"
因为——

我是那样爱着你。

如歌没有让他说完，她打断了他：

"明天，我会离开平安镇，你不要跟着我。"

雪瞅着她。

眼神古怪而伤心。

"就这么讨厌我吗？一旦知道我喜欢你，就迫不及待要躲开吗？你不怕我会难过吗？我在你心里究竟算什么呢？"

如歌惊道："不……"

只是一个字。

理智将她拉了回来，她避开他的眼睛，用力深呼吸，道：

"雪，你是我的朋友，只是我的朋友。"

好似一场梦……

雪，发怒了！

一片、两片、几十片、上百片、千万片雪花旋转着在他周围飞舞，白衣如雪，雪花狂飞！

晶莹的飞雪咆哮着拍打他的长发、衣襟！

秋夜的雪。

愤怒的雪花将红衣裳的如歌裹成雪人。

她望着满屋似有生命般的飞雪。

记得第一次见到雪，是在品花楼，那夜他出现时也有雪花，她却没有留意，以为只不过是玩的一些戏法。但此时，她愕然发现，那些雪花竟似从雪体内飞出，流光烁彩，他晶莹剔透得仿佛冰人一般。

洁白的雪花精灵地旋舞在他唇角。

他的嘴唇，煞美如雪花：

"你依然忘不掉战枫？！"

如歌惊怔，半晌，苦笑道：

"是，我忘不掉。"

忘不掉战枫对她的伤害，忘不掉那种撕心裂肺的痛苦。所以，不愿意让雪同她当初一样，爱上不该去爱的人，不愿意让他越陷越深。那么就让她做无情的人，恨，有时比爱来得容易些。

雪冷声道："他伤害了你，你却来伤害我，这样公平吗？"

如歌静静道："世间原本就不公平。"

雪凝视她，目光如冰雪：

"我会恨你。"

如歌觉得呼吸已然停止，笑容虚弱无力："如果你一定要如此，那就恨吧。"

只要不再爱她，她负担不起。

屋里的雪花渐渐消失。

好像出现一般突兀而安静。

只有残余在她和他身上的雪水，依然留着刻骨的寒意。

她和他相视而站。

两人的发梢、眉毛、睫毛缀着清寒的雪珠。

一颗雪珠如泪水一般滚下雪的面颊。

他哑声道：

"如果你让我跟你走……"

"不可能。"

如歌的声音冷静。

既然已经下了决心，她就绝不会再任事情错下去。

雪珠落到地面，悄然被吸干……

他仿佛平静了，笑得很淡：

"只为了刀无暇一句模糊不清的话，你就要千山万水地去找玉自寒。可笑啊，在你心中我不仅比不上战枫，连玉自寒也不如。"

如歌愕然："你怎么……"

雪淡淡地笑："天下哪里有我不晓得的事情，你以为百合为什么会出现得那样及时。"

如歌盯紧他："你究竟是谁？"

雪坐到红玉凤琴旁，手指轻轻将琴弦拨响。

他恍然已忘却了她的存在。

如歌追问道：

"刀无暇讲的人果然是玉师兄吗？他会有危险吗？"

下午在白亭的梧桐树上，她有种奇异的感觉，觉得那个他可能会是玉自寒。因为以天下无刀的实力，除非去刺杀像玉自寒那样身份的人才会如此小心。可是毕竟不能确定，又放心不下，所以想去看看。

一种奇异的神情闪过雪的面容。

他的手指一僵。

一根琴弦"锵"地应声而断！

他打量她，眼神沉黯："你很紧张他吗？"

如歌皱眉道：

"他是我的师兄，我自然关心他。"

雪轻笑，笑容仿佛初冻的冰河，有说不出的冷漠：

"很好。"

她听不懂。

雪接着道："所以，他一定会死。"

如歌惊呆了，喝道："你说什么？！"

雪幽幽地对她微笑：

"因为我恨你。"

*** ***

秋夜。

清寒的雨丝落在青石的地面上，地面湿润而透明。

雨雾中的庭院，金碧辉煌，气派恢弘。

长廊下。

一挂碧玉铃铛。

在细雨中"丁当"飞响……

这样的雨夜。

轮椅中温润如玉的男子，一袭青衫显得分外单薄。

他望着铃铛。

目光中有悠长的思念。

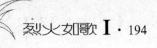

玄璜抱着一方薄毯，低声道：

"王爷，天寒小心保暖。"

玉自寒淡淡一笑，端起身旁圆几上的茶杯，轻抿一口温热的碧螺春。他只需要一点茶的暖意，至于毯子就不必了。他的双腿自幼残疾，就算盖上毯子也不会感到温暖。

玄璜不语。

他想起那个红衣裳的少女，如果她在这里，毯子必已覆在了王爷的膝上。

他们离开烈火山庄已近三个月。

王爷的身子渐渐清瘦，有时会不自觉地睡去，但御医们却检查不出任何症状，只说体虚。

玄璜十分担忧。

当年玉妃难产身亡，诞下的龙儿体弱多病，再加天生失聪，待到五岁时，居然离奇地双腿被废，再不能行走。皇上忍痛将他送至烈火山庄，使他远离宫廷纷争，也希望他习得武功，身体强健，为避人耳目，为他另取一名"玉自寒"。

玉自寒就是静渊王。

青圭、赤璋、白琥、玄璜、黄琮、苍璧，他们六人是皇上钦点的静渊王的侍从。

玄璜，跟随玉自寒身边，照顾他一切生活起居。

雨丝飘在铃铛上。

像缀在碧玉上的露珠。

玉自寒不知不觉已然睡去。

睡梦中似乎感到有些冷，俊秀的双眉微微皱着……

CHAPTER 10
LIEHUO RUGE I

春风如醉。

满树海棠花。

粉红色的花瓣柔软地落在地面。

九岁的男孩子孤独地坐在轮椅中，花瓣悠悠落在他青色衣襟上，他的双手苍白，一只雕花羊脂玉扳指松松地戴在左手拇指。

他的神态安静。

安静得让所有人忽视他的存在。

安静得令人心痛。

他听不见声音，也无法行走，他的世界只有宁静。

他可以看到杏树下正在嬉闹的两个小孩子。

六岁的小枫蓝色布衣，头发微微卷曲，右耳的宝石闪闪发光，他从树上溜下来，手上捧着一把青色的小杏儿。三岁的小如

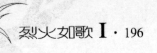

歌晶莹的小脸粉嘟嘟的，拍着巴掌笑，笑容灿烂可爱。

小枫将小杏儿送到小如歌面前。

小如歌拈起一只，小心翼翼地尝，似乎很酸，嘴巴眼睛皱在一起，酸得吐出粉红的小舌头。

小枫笑了。

眼睛湛蓝湛蓝，像万里无云的蓝天。

小如歌嘟起嘴巴，非要小枫也吃掉一只青涩的杏儿。小枫躲着，于是她去追。

于是两人笑闹着跑远了。

虽然听不见他们的笑声。

但可以看到他们的快乐。

轮椅中，九岁的男孩子轻轻摸着白玉扳指，闭上眼睛，想起他很久未见的父皇。在烈火山庄，虽然他的身份是秘密，但人人对他很尊敬。师父尽心传他武功，给他最好的照顾，然而他却羡慕师父对小枫和惊雷的责罚。

因为他是聋子。

没有人知道该如何同他讲话。

这世上，他静得只能感受到自己的呼吸。

有人拽他。

一只软软的小手拽着他的衣袖。

他睁开眼睛。

却是方才跑远的小如歌。

花团锦簇的海棠树下，粉白的面颊映着鲜红的衣裳，小如歌笑得似乎会发光！

她摇着他的胳膊，踮起脚尖，将一颗青青的杏儿凑近他唇边。

他摇摇头。

她把杏儿往他嘴里塞。

他偏过头。

她瞪着他，忽然，眼睛里涌满了泪水——

她开始哭。

他叹息，拍拍她的脑袋，接过杏儿，慢慢嚼……

好酸！

酸得他仿佛要从轮椅中跳出来！

她笑了，然后嘴巴以大大的弧度扯出一个口型。

他不知道她在做什么。

她拉过他的手，放在自己唇边，把刚才的口型又重复一遍。他能感觉到她嘴旁肌肤的震动。

她抓起一个杏儿，塞进自己嘴巴里，酸得浑身颤抖。

然后，又重复那个口型。

他望着她。

那天，她一共吃下十六只小杏儿。

酸。

这是他"听"到的第一个字。

自那日后。

小如歌就经常找他"说话"。

开始时，他不晓得她在讲什么，她总是趴在他的膝头，仰着脑袋不停在说。最初她说得慢，日子久了越说越快。而他，居然

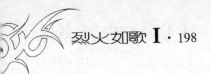

也可以跟上。

他十五岁时。

九岁的如歌逼着他开口"讲话"。

她说想听他的声音。

他没答应。

她哭了一天一夜。

他终于屈服了。

他听不见自己的声音，只感到干涩的喉咙在费力地颤抖。他知道那声音一定很难听，因为那个从门口经过的婢女，脸上表情难受得仿佛恨不得将耳朵捂起来。

如歌却欢呼，给了他一个大大的拥抱。

她告诉他，他的声音比小鸟的歌声还动听。

他被她的比喻逗笑了。

小鸟的歌声？

多孩子气的话。

但是，只要她开心，就可以了。这世上，他的声音，只说给她听。

他会说的第一句话是——

"如歌。"

*** ***

静渊王府。

午后的庭院。

玉自寒静静地在轮椅中睡着，似乎觉得有些冷，他的眉心浅浅皱起。青衫的他，在初秋疏冷的阳光里，好像流淌着光华的寒玉。

睡梦中，他见到了她。

她喜欢鲜红的衣裳，笑容也像火焰一般热烈；她喜欢像只小猫一样趴在他的膝头，对他讲她的开心和烦恼；她最喜欢笑吟吟比划着双手，告诉他战枫怎样了，他们去到哪里玩，那时候的她快乐得神采飞扬。

后来，她渐渐忧愁，趴在他的膝头长久也不说话。

他不晓得该怎样安慰她。

因为她的幸福和悲伤，并不是因为他。

沉睡中，玉自寒的嘴唇轻轻在动。

仔细去看，可以知道那是无声的——

"如歌"。

秋日的午后。

玉自寒慢慢醒过来，眼睛睁开，却依然像在梦中。

他看见了如歌。

她红衣鲜艳，趴他膝上，支住下巴，对他眨眨眼睛，笑着：

"师兄！"

他摇摇头。

笑，莫非自己尚在梦里？奇怪，这次的梦如此逼真。

什么？

师兄居然不理她？！

如歌生气了，用力摇着玉自寒的膝盖，大声道：

"师兄，人家赶那么远的路来看你，你一点也不高兴吗？！不管，我要生气了！你……你要是还不说欢迎，我……"

玉自寒抚住她的手。

一股温热的暖意，在初秋乍凉的午后，自她的手背传入他的掌心。

如歌惊道："咦，你的手怎么这样凉？"说着，将他的两只手拉进她的双手中，揉搓着，温暖着。

玉自寒望着她。

她抬起头，瞪他："离开烈火山庄的时候，你不是答应我会好好照顾自己吗？为什么瘦了这么多？！你说话不算数啊，还做人家师兄，我都不要相信你了。"

玉自寒微笑："你怎么来了？"

如歌对着他的手掌呵出暖气，灵动的大眼睛闪了闪，笑道：

"我想你啊，想你就来了。师兄莫非是不欢迎我？"她拿着师兄给她的雕龙玉佩，很容易就进到了王府。

玉自寒的唇角是满满的笑意，他拍拍她的脑袋。

如歌问道：

"师兄，你最近有没有觉得不舒服啊，一切都还好吗？"

玉自寒的笑容仿佛清爽的秋风：

"我很好。"

***　　***

烈火山庄。

裔浪道："宫中传来消息，皇上近日龙体欠安，敬阳王与景献王皆有异动。"

敬阳王和景献王同为皇后所出，敬阳王在众皇子中排行第二，景献王排行第五。两人均对皇位虎视眈眈，十几年来一直明争暗斗，许多臣子与势力都被搅入其中。

烈明镜沉吟不语。

裔浪接着道："敬阳王与景献王都曾到访静渊王府，游说静渊王支持自己。"

静渊王是皇上昔日宠妃玉娘娘的独子，深受皇上关爱，曾有传言如若不是静渊王身患残疾，恐怕皇位都会传承于他。

烈明镜道："玉儿必是皆未表态。"

"是。"

烈明镜长叹道："可惜玉儿自幼身残，又非在宫中长大，对权位之争不感兴趣，辜负了皇上一片苦心。"

当年，皇上将玉自寒送至烈火山庄，实也有为他培养势力之念；烈明镜自然也想借助玉自寒，加深在宫中的影响。可惜玉自寒心不在此，他只好转而支持敬阳王。

裔浪从怀中拿出一封信："敬阳王有书函到。"

烈明镜接过放于案上，不看也晓得，此信必是请他劝说玉自寒站到己方阵营。

裔浪灰色的双眼略微紧缩，道：

"战枫半个时辰前回庄。"

烈明镜虎躯一震，目中神光四射：

"他回来了。"

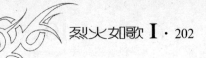

　　裔浪道:"战枫在平安镇同天下无刀秘密会面两次,共交谈一个半时辰。曹人丘的尸体悬挂断雷庄三日,谢小风被埋在平安镇北郊荷花塘内。"

　　烈明镜长身而立,望着窗外漆黑的夜色。

　　声音似从黑夜中传来:

　　"他杀了谢小风?"

　　"是。"

　　烈明镜沉默良久,忽然大笑道:

　　"好!好!果然很像!"

　　裔浪眼神阴暗,厉声道:

　　"他很危险!"

　　烈明镜转过身,浓密的白发有慈祥的味道,只是脸上的刀疤隐隐闪出寒光:"浪儿好孩子,我心里明白,你不用担心。"

　　裔浪垂首,目中似有激动的火花。

　　烈明镜问道:

　　"歌儿如今在何处?"

　　裔浪的情绪又恢复平静无波:"小姐在静渊王府。"

　　烈明镜振眉。

　　然后仰天叹道:

　　"也好!……只是可惜……天命啊……"枫儿和歌儿终究仍是无缘,想到此,他的心顿时像压了万钧大石,再说不出话。

　　裔浪暗暗心惊。

　　从烈明镜口中居然会说出"天命"两字。

　　这曾经覆雨翻云、可以将乾坤扭转、从不将所谓"命"看在眼中的烈明镜……

　　莫非已经有些老了。

***　　***

　　清早。

　　冒着热气的烧饼。

　　如歌两眼放光，看着玉自寒细细品尝，连声追问："怎么样？好吃吗？"

　　玉自寒点头。

　　知道她一大早就起来忙着为他做烧饼，额头上现在还有密密的汗珠，他用衣袖替她拭汗。她的体质，似乎特别容易出汗，仿佛体内有一个火炉。

　　如歌得意地说："那师兄你一定要多吃些，我做的烧饼可是有口皆碑呢，平安镇老老少少都夸我好手艺。"忽然，她想到谢小风，神情一黯，但马上掩饰过去。

　　玉自寒微笑道：

　　"好。"

　　他又拿起第二只烧饼。

　　玄璜心中甚是宽慰，自从烈小姐来到王府，王爷每日进食增加了很多。虽然他依然清瘦，但假以时日想必会改善许多。

　　如歌把茶盏端过来："烧饼吃多了会干，喝点水吧。"

　　玉自寒将一只烧饼放进她手中，道：

　　"你也吃。"

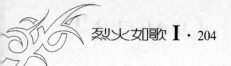

如歌笑道："我可不要吃这个了，铺子生意冷清的那段日子，我天天吃剩下来的烧饼，腻都腻死了！"她夹起一块绿豆糕，满足地吃着，"啊，还是糕点好吃啊。师兄，你该给做点心的师傅多加工钱，他的手艺棒极了！"

玉自寒品着茶，看她像个贪吃的小猫，桌上的糕点被她香甜甜地吃着，幸福的表情让人不觉也有了胃口。

如歌抬起头，诧异地说："你只吃两个烧饼就饱了吗？"记得以前他的饭量不会这样小。

玉自寒道："是。"

"是什么啊！"如歌不满道，"不管，我辛辛苦苦做出来的烧饼，你只吃两个，我会伤心的！"

他摸摸她的脑袋。

她闪过去，一脸委屈："你吃那么少，肯定是嫌我做的难吃，告诉你，我真的很伤心！"

玉自寒笑得无奈，只好又开始吃第三只烧饼。

如歌高兴地笑起来，也拿起烧饼来吃：

"师兄，我陪你吃啊……哇，我的烧饼真不是吹哦，香喷喷，很酥很酥，让人吃一只想两只，吃两只想……"

屋里。

有两个在快乐地吃烧饼的人。

玄璜静静看着，心中有种感动。

忽然，声音自屋外传来：

"景献王求见。"

*** ***

"你就是烈如歌？"

一个明黄衣裳的少女好奇地上下打量她。

"对呀。"如歌也好奇地打量黄衣少女，眼睛一亮，道："我猜，你是黄琮对不对？"

少女笑开了："好聪明，我是黄琮，你怎么猜出来的？"

如歌笑道："很简单啊，你同白琥一并进出，玉师兄的六侍卫中又只有一个女孩子。"更何况，她穿着黄衣。

黄琮道："一直知道你的名字，却从未见过，玄璜说你对王爷很好。"她双手抱拳，郑重道，"对王爷好，就是黄琮的恩人，以后若有事差遣，只管吩咐。"

如歌也正言道："听这番话，便知你对玉师兄也是极好的。待师兄好，便是如歌的朋友。"

两个少女相视一笑，感觉彼此脾气相投，如多年老友一般。

如歌与黄琮聊了起来。

"我见玄璜多些，很少见到白琥与赤璋，青圭、苍璧和你就只听过名字。"

"是，我一直在王府待命。王爷不喜欢太多人跟随。"

"你的武功想必很高了？"

"嗯，不晓得我的长河剑同你的烈火拳哪个更厉害。"

如歌有些心虚："我很差劲。"

黄琮摇头："当年烈庄主凭一双烈火拳，在华山之巅战胜天下无刀的刀绝霸，初具武林霸主之气，烈火拳也名扬天下，怎么会差劲呢？"

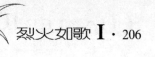

如歌暗暗握紧双手，没有人知道，她的拳头没有力量，好像她的真气被什么东西封住了，烈火拳使出来毫无传说中的威力。

如歌转开话题："我来已经两天了，你并不在府里。"

黄琮眼神黯然，叹道："我和白琥去寻访神医。"

"神医？"如歌一惊，"玉师兄……"

"你应该也察觉了。"

如歌望紧她。

"王爷清减很多，每日只能吃下很少的食物，极为疲惫，昏睡的时间越来越长。"黄琮担忧道，"宫中几乎所有的御医都来看过，却找不出病因，只说体虚。怎么会无缘无故忽然体虚呢？我们担心是怪疾。"

如歌的心坠下去，原来她一直担心的事果然发生了。

"会不会，有人下毒？"

她想到在天下无刀城听到的话。

黄琮惊道："下毒？谁有那么大的胆子？"

如歌抿紧嘴唇，虽然她不曾在宫中生活过，但民间流散的关于宫廷斗争的传闻也听说过。

黄琮慢慢摇头："我们对王爷的食物一向小心，不至于出这样大的纰漏。"

如歌笑一笑："神医请到了吗？"

***　　***

边大夫将手从玉自寒脉上收回，一言不发，收拾药匣便走出内屋。

玄璜留在玉自寒身边。

如歌同黄琮、白琥随在大夫身后。

庭院中。

"王爷情况怎样？"

少年白头的白琥低声问。

边大夫表情古怪，似乎不知如何说好。

如歌道："大夫，有话您尽管讲，没有关系。"

黄琮点头。

边大夫皱眉道："王爷年纪尚轻，身体却仿佛年老之人，有灯尽油枯之相，且体内极寒。这病症……"

如歌望住他："请讲。"

边大夫沉吟半晌，叹息道："如果是七十岁老人，就应该准备身后之事，纵有回天妙手，对此也无可奈何。"

白琥震怒，额上青筋冒出，怒喝道：

"放肆！"

边大夫哪里经过这等阵仗，吓得脸色苍白。

如歌斥道："白琥，如果只是要听宽心的话，就不用听边大夫讲了。你如此态度，对师兄的情况有帮助吗？"

白琥握紧拳头，不再说话。

如歌温语道："大夫，可王爷只有二十多岁年纪，怎会出现年老之症？"

"这正是奇怪之处，而且体内的阴寒更是古怪……"

"有方子可治吗？"

"只能开些滋补养身的药材，想必王爷也吃过许多了。"边大夫的神情又古怪起来，望着如歌欲言又止。

如歌心中一动。

***　　***

"师兄！吃饭了！"

傍晚时分，如歌挽着食篮推开玉自寒的屋门，她看起来很有精神，笑容闪闪挂在唇边。

玉自寒坐在窗边。

他静静地睡着。

"师兄？"如歌望着仿佛睡去就永远不会醒来的玉自寒，心中忽然有种恐惧，她将食篮放在桌上，蹲下身去，握住他冰凉的手掌。

他真的清瘦许多。

白玉扳指松松的，苍白的手指显得益发修长。

如歌握紧他的手，努力将自己体内的热力传过去，一种纠结的情感，让她的眼中有雾气蒸腾。

玉自寒缓缓醒来。

似玉般的光华，微笑绽开在他清俊的唇角，他的声音低哑：

"我又睡了？"

如歌瞪向他："是啊，你又睡了，你都快变瞌睡虫了！"

玉自寒微笑：

"对不起，又让你担心。"

如歌咬住嘴唇，突然狠狠掐一把他的手掌，恨恨道：

"知道别人会担心，为什么不好好保重自己？！你知不知道自己瘦了很多？！说什么你会好好照顾自己，原来你说那些话都是在骗我！！师兄，我再也不要相信你了！"

她说得很快，玉自寒不大能看清楚，但她伤心的神情，依然揪痛了他的心。

傍晚的风，吹动玉自寒的青衫。

他的微笑淡定自若。

"我会死吗？"

如歌一惊，瞅紧他，然后，眼神渐渐黯淡：

"是。"

玉自寒笑。

他摸摸她的脑袋，像在摸一只小猫，笑道：

"不要伤心。"

如歌歪着脑袋看他，表情古怪至极："师兄，你在对我说笑话吗？"

玉自寒怔住。

如歌悲笑：

"如果你死了，我会不伤心吗？从小陪我一起长大的你，如果死掉了，就这样死掉了，我会不伤心吗？师兄，你真的很会讲笑话。"

泪水从她的脸上慢慢淌下。

如歌的双眼，因为泪水，亮得惊人：

"知道吗，自从你离开烈火山庄，发生了很多很多事情。有时候，我难过得不晓得该如何是好，可是，我都撑下来了。因为，我答应你我不会被打倒，我会努力活得很好。烈如歌，答应过的事情就一定要做到！"

"可是，你要死了吗？"

她流着泪："我的师兄，一点努力都不去做，就要甘心死掉了

吗？我会看不起你的！”

"如歌……"

玉自寒轻声呼唤。

他的手指抹去她脸上的泪水，心疼道：

"不可以哭，我什么都答应你。"

如歌攥着他的衣袖，将鼻涕蹭在上面，抽泣道：

"真的什么都答应？"

"是。"

他叹息。

如歌破涕为笑："那你不能死，起码要活到八十岁！"

玉自寒凝视她，眉宇间光华逼人。

"说啊，答应不答应！"

她紧张地追问。

良久，玉自寒道："如果……"

如歌打断他，凶巴巴道："如果你胆敢早早死去，我现在就哭死给你看！"

玉自寒哭笑不得。

从小到大，哭泣是她威胁他的制胜法宝。

如歌盯紧他："快答应我，否则——"

"好。"

玉自寒道。

"成功！"

如歌高兴地跳起来，啊，就知道这招对他有效！

玉自寒摇头笑道：

"小孩子，用哭来唬人。"

如歌笑吟吟地打开桌上的食篮，皱着鼻子道："才不是呢，我只会用这招来对付你，因为——"她将一碗米粥送到他手中，望住他，"因为，我知道师兄不舍得我哭。"

米粥的温度，透过瓷碗，熨烫玉自寒的掌心。

他微笑着，却低下了头。

如歌接着笑道："有了师兄的承诺，我的心好像也不那么慌了。你答应了，就不可以死啊！不管你的身体出了什么稀奇的毛病，我们都一起将它打败掉！还有，如果不舒服，一定要说，不可以怕别人担心就不讲，知道吗？"

玉自寒已经把米粥喝完，放在桌上，对她说：

"好。"

如歌很高兴，摸摸他的脑袋，笑道："这才是歌儿的好师兄。"

她又盛了一碗饭，在里面夹了很多小菜，送到他手中：

"再吃一点好不好？"

玉自寒有些犹豫，但没有说话，接了过去。

傍晚。

晚霞自窗子洒进来。

如歌望着优雅地吃着米粥的玉自寒，感到心里暖暖的。她也拿起一只馒头咬着吃，不停将菜夹进他碗中，希望他能吃得更多些，这样会强健些……

*** ***

可是——

如歌从没这样后悔过！

如果她知道劝玉自寒多吃下那一碗饭，会是这样的后果，她宁可去吞下一麻袋沙子！

那晚深夜。

王府中灯火通明！

二更时，玉自寒突然开始呕吐，一开始吐出来的是食物，然后是血！

最先发现的是玄璜，宫中的尚御医慌忙赶到，一番诊视后只说是积食之气，为何会吐血却说不明白。

床榻上，玉自寒仅着中衣，嘴角余着几丝鲜血，他拍拍如歌的手，让她不要担心。

白琥怒视如歌："如此说来，是你硬要王爷多进食？！"

黄琮道："不要这样，王爷吃多了会呕血，如歌并不知道。"

白琥怒道："这便是借口么？！不晓得可以问一下，王爷的身子如何经得起这样糟蹋！"

如歌转过头，嘴唇煞白，眼神倔强：

"不错，是我闯下的祸，没有问清楚，就想当然让师兄多吃些饭。你说好了，该如何责罚我？！"

白琥冷笑："说出这种话来，以为你是烈明镜的女儿，便无人能责罚你吗？！"

黄琮惊道："白琥！"不晓得为什么，白琥好像总是对如歌很看不惯。

玉自寒抬头。

虽然脸色苍白，但目光中威严的气势使白琥和黄琮都闭上了嘴。

他挥一下手，命他们都下去。

白琥狠狠地瞪如歌一眼，少年的脸庞有些气得发红，向门口退去。

"等一下！"

如歌出声喝住！

她闪电般自毫无防备的黄琮腰间抽出长河剑，在众人的惊诧中，向自己的左臂刺去！

鲜血，汩汩淌落在地上……

如歌脸煞白着，对白琥淡笑道："用我的血，偿师兄的血，你觉得可以吗？"

她的脸上绽出夺人的美丽，眼睛清拗而毫不躲闪。

白琥表情僵硬地退下。

黄琮、玄璜出去的时候将屋门轻轻关上。

待到无人了。

玉自寒忽然侧身吐出一口鲜血。

这口血堵在胸中已经良久，他不愿意当着众人的面呕出，实在不想如歌再多担骂名。

如歌扶住他，胳膊的血流在他白色的中衣上，显得分外扎眼。

她轻轻抚着他的后背，为他平顺气息，笑道："师兄，我们算不算有难同当？你的血和我的血流在一起了。"

玉自寒喘口气，倚在床边：

"让我看你的胳膊。"

如歌笑呵呵："没关系的，只是皮肉伤，我才不会伤到筋脉！"

玉自寒不理会她，轻轻拉起她的左臂，将衣袖捋起，只见一道长长的剑伤，很深，却果然没有伤到筋脉。他拿出一瓶随身的金创药，洒在伤口上，再从洁净的中衣上扯下一块白巾，细心地为她包扎好。

如歌拉拉他的袖子，使他抬起头来，小心翼翼地问：

"师兄，你是不是生气了？"

玉自寒凝视她。

点头。

清远的双目中是担心和气恼。

如歌挠头笑笑："可是，是我做错了啊，是我逼着你多吃一些粥，让你的身子难过……"

玉自寒缓声道："不碍事。"

如歌将一个软枕垫在他身后，然后笔直地坐好，对他说道：

"好，我向你道过歉了，现在你也应该向我赔不是。"

玉自寒望住她。

如歌皱起眉头："说好不舒服要对我讲，师兄却只为哄我开心，什么都不说，才让我闯下祸。我的伤口很痛呢，心也痛！师兄必须道歉！"

她倔强地瞪着他。

　　玉自寒的面容恍若山水间的灵玉，虽然苍白，却依然有绝世的光华。

　　他的双眼温柔如春水。

　　如歌忽然又笑了："好了，放过你，毕竟你是师兄。但是，从今以后什么事情都要对我讲，好不好？"

　　玉自寒摸摸她的脑袋。

　　如歌道："那我就当你同意了！"

　　玉自寒微笑。

　　夜，越来越深。

　　如歌打个哈欠："师兄你睡吧，身子一定很疲倦了。不用管我，我在床边打个盹儿就好。"

　　玉自寒摇头："不想睡。"

　　"啊？"如歌伸出的懒腰停在半空，咦，很少听到师兄用这样的口气说话，"为什么？你最近不是很喜欢睡觉吗？"

　　他的唇角有苦涩："睡着好像死去。"

　　如歌的心忽然柔软。

　　她握住玉自寒的手，轻声道："师兄，你终于肯说了吗？"蓦然放松的泪水在眼眸中闪光，她笑，"以为师兄爱面子，怎样痛也不说呢。"真怕他只是敷衍她。

　　玉自寒微笑道："不要取笑我。"

　　如歌笑得很可爱："那你要继续说啊。"她想一下，沉吟道，"师兄，你这样生病有多长时间了？"

　　"两个月。"

　　"嗯，师兄……"如歌不知该如何说，"你觉得自己只是生病

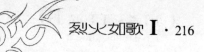

吗？"

玉自寒知道她必有后话。

如歌轻声道："……会不会是中毒？"她将在天下无刀城听到的刀无暇、刀无痕的密谈，一五一十对他说了。"所以，会不会是他们用某种方法，对你下了毒？那天边大夫也有这样的猜测。"可是，在王府这种事情谁也不敢乱讲，否则以静渊王的身份，势必又会搅得宫廷大乱。

玉自寒静静"听"着。

如歌伤脑筋道："不过，也不太像，我知道玄璜对你吃的所有东西都很小心，用银针仔细地检查过……"她的脸皱成一团，"但是打死我也不相信你好端端的会得上什么怪疾！太荒唐了嘛！"

玉自寒道："我会小心。"

如歌下定决心，她一定要将师兄"生病"的原因找出来！

"师兄，你身上痛吗？"

如歌担心地问。

"不痛。"

如歌很怀疑："呕血也不痛吗？你不要骗我。"

玉自寒笑一笑：

"只是冷。"

那种寒冷咬噬他的骨髓，仿佛千万年寒冰冻凝着他的血液。

她抚住他的手，彻骨的寒意冻得她一激灵，她连忙用棉被裹紧他的身子，但寒气透过棉被逼了出来。

玉自寒被她裹得好似蚕蛹，清俊的面容有淡淡的笑容。

他微笑："没有用的。"

寒气自他体内涌出，棉被再厚也无济于事。所以，他不愿睡去，睡去中的寒意让他好像死人一般僵冷。但是他昏睡的时间却越来越长。

如歌咬住嘴唇，忽然掀开被子钻进去，靠在床边，让他倚在自己怀中，两只胳膊紧紧拥住他的肩膀。她的手覆在他冰冷的手背上，运起功力，让烈火般的真气源源不断传过去。

丝丝暖意……
仿佛沐浴在春日暖阳下……

玉自寒挣扎着想从她怀里出来，却被她一掌按下，她笑着说："幸亏我练的是烈火拳，如果是寒冰掌，师兄你可就遭殃了。"
她用手让他的眼睛闭上，低声道：
"师兄，好好睡一下吧。"

天色隐约发白。
玉自寒沉沉睡去，眉头没有像往日一样皱起，似乎有一个恬淡的梦……

CHAPTER 11
LIEHUO RUGE I

秋日的阳光，明亮清澈。

阳光透过木窗，洒在轮椅中那青色的身影上，仿佛有玉的光芒，并不扎眼，却让人舍不得移开视线。

门"吱呀"一声被推开。

快乐的如歌端着一碟热气腾腾的豌豆黄进来，脸上笑吟吟的。是啊，这几天她很开心，师兄昏睡的时间越来越少了呢。以前，每当他沉沉地昏睡，浑身的气息僵冷如冰，她的心就好像被针扎一样，非要摸着他微弱的脉搏才能稍稍喘过气。

玉自寒放下手中的白玉茶盏，对她微笑。

"师兄！你没有睡啊！"

如歌蹲下来，将碟子放在他膝上，用手指试试点心的温度，然后满意地用银筷夹一块给他，笑道："刚做好的新鲜点心啊，要不要尝一些？看起来很好吃的样子呢！"

"好。"

"怎样，好吃吧？！我嘱咐师傅少放了点糖，就不会很腻，豆子的清香也可以出来。"

玉自寒摸摸她的脑袋。

"不过，呵呵，再好吃你也只能吃一块啊，否则会不舒服的。"如歌坐在小凳子上，从他膝上的碟子中挑一块放进嘴里，细细嚼着，猛点头道，"嗯！好吃好吃！师兄不可以跟我抢啊，剩下的全是我的！"

玉自寒望着她，目光温柔如阳光下的大海。

他怎么会不知道她的苦心呢？又想让他多吃些，又怕他会吐血，于是她费尽了心思做各种各样的食物，让他一天多吃几次，每次只吃一点。

如歌抬起头，碰到他柔和的凝视，惊奇道：

"为什么这样看我呢？"

她想一想，又笑着说："是不是你也发现我变得比以前漂亮了？！"

玉自寒打量她。

这段日子来，如歌的模样变了一些。她的下巴瘦削起来，眼睛水汪汪的好像一潭秋水，肌肤如象牙一样洁白，似乎个子也长高了些。原本的青涩可爱，在举手投足间却有了动人心魄的美丽。

如歌笑嘻嘻："奇怪啊，我好像一天比一天漂亮呢。爹现在若是看见我，会不会认不出来呢？"

玉自寒笑道："你本来就美。"

如歌羞红了脸："骗人也不是这样骗的啊，我以前哪里漂亮

了，顶多是讨人喜欢罢了。"她吐吐舌头，又笑，"呵呵，你是师兄啊，不会笑我臭美的，对不对？"

玉自寒笑得很开心。

如歌捧住自己的脸蛋："我现在照镜子啊，觉得长得好像越来越不像爹了。我一定是像我娘！那我娘一定是个绝代大美人喽！"她一出生娘就死了，也没有娘的画像。

玉自寒忽然捂住胸口，表情有点痛苦。

如歌惊道："你怎么了，痛吗？"

玉自寒皱眉道："有些冷。"

"为什么？"

"听到你的话。"

如歌怔了怔，腾地明白了，脸涨得通红："臭师兄，你竟然嘲笑我！哎呀，刚才你自己还说我美呢，居然……啊……"她扑过去，用拳头乱打他！

玉自寒笑得胸口震动，低哑的笑声传出窗外。

屋外的玄璂听到了。

泪水暗暗湿润了他的眼睛。

跟随了王爷十五年，第一次听见他的笑声。

阳光洒在两人身上。

那么美好。

如歌静静地握住玉自寒的手，仰起脸，微笑：

"师兄，你的笑声真的很好听。"

她皱皱鼻子，笑：

"有种幸福的感觉啊……那以后，你要常常笑给我听，好不好？"

玉自寒望住她。

"好。"

只要她想要的，他什么都可以给她。

如歌也望着他。

他眼中的某种神情忽然打动了她的心。

秋日的风将她的发丝吹乱，粘在她的唇上。他的手指为她拢好发丝，指尖微微触到她的唇……

她的唇火热，他的指尖清凉。

她忽然闻到了他的体味，淡淡的，像茶一样，有点苦涩，却悠长，而清香……

她忽然有些紧张，慌忙跳了起来。

面对相处了十几年的师兄，她忽然觉得心很慌，很烫。

玉自寒宁静地微笑。

他端起案几上的茶盏，让氤氲的茶气遮住他眼中的悸动。

如歌在屋里胡乱看着，说道："哎呀，师兄，这里的书好多啊，你全都看过吗？好了不起！"她又发现案上有很多公文，惊奇地说："这是什么？"

玉自寒道："各地的吏政。"

如歌睁大双眼："这不是皇上和大臣们的事情吗？"

玉自寒将茶盏放于案上，没有说话。

这段日子，父皇的身体有恙，将许多事情交于他处理，引起了两位兄长的猜忌。他虽对权力皇位不感兴趣，但父皇嘱咐下来的事情却想办得妥当。

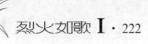

　　如歌皱眉道："皇上不晓得你的身子很弱吗？让你做这么多事情，会很辛苦呢！"

　　玉自寒微笑："没关系。"

　　如歌叹息，走过去摸摸他的脑袋，道："我知道你一直想为你爹做些事，这是你的一片心，我也不能拦你。可是，你答应我，不可以太累，好不好？"

　　她瞅紧他。

　　玉自寒笑如春水："好。"

　　如歌轻轻关上屋门。

　　屋里只剩下玉自寒一人。

　　忽然，他捂住胸口，"呃——"的一声，呕出血来。鲜血落在柔软的绢帕上，刺目惊心。他淡淡地将它收好，不愿被人发现。

　　体内胸中撕裂的冷痛，让他的脸色煞白，轻轻闭上眼睛，笑容在唇边。他晓得，对她许下的承诺或许只能是欺骗了。这段时日能够有她陪在身边，已经是他最大的福气了。

　　喘息着将面前的卷宗翻开，头部渐渐一阵眩晕。他苦笑，知道是昏睡又来侵袭了，可是时间不多了，怎能白白浪费在睡眠上？

　　一根针。

　　闪着寒光！

　　他用力扎在自己的手心！

　　血珠迸出，尖锐的痛苦使头脑清醒许多。

　　玉自寒开始仔细翻看各地报文，如玉的掌心赫然有着许多针孔！

原来，这就是他不再昏睡的原因吗？！！

如歌浑身冰凉！

屋门大开着，沁凉的秋风呼呼吹进来，如歌背上骤然冒出的冷汗，被凉风一灌，寒冷得让她颤抖！

"师兄！你骗我！！"

她怒吼着，赤焰般的红衣映着她愤怒的面容。

方才忘记将点心碟子带出来，回来取，却居然看到这样一幕。

玉自寒没有"听见"。

他清俊的背影宁静如亘古的长夜，任手掌兀自渗出血珠，认真翻阅着公文。

涌进的风，使他的青衫飞扬。

如歌咬紧嘴唇，瞪着他的背影，泪水，开始让她感到无助。

空气很怪异。

玉自寒轻轻抬起头，轻轻转过来，看到了她。

他微笑："你回来了。"

如歌瞪着他，满腔的怒火逼得她大声道："你真的让我很失望！"

"歌儿……"

"你在做什么？！"她冲过去，一把摊开他的掌心，怒声道，"伤害你自己吗？！这样就可以不用睡了，对不对？！这样就不会让我们担心了，对不对？！什么疼痛你都独自忍着，很伟大对不对？！"

玉自寒想要握住她。

如歌甩开他！

然后，她颓然地蹲在地上，抱着脑袋开始哭。

"你知不知道，这样子的你，让我的心有多么痛……是，瞒着我，骗着我，可以让我开心……反正我也是个笨蛋，我也没本事治好你的怪病……可是，我真的恨你……你的痛不可以告诉我吗……只能自己承担吗……"

因为她埋着头，玉自寒听不见！

只能看到她抽泣的肩膀……

哭泣中的她，身子显得那样单薄和柔弱，像秋雨中的一朵小花，怜痛使他的嘴唇苍白起来。

他伸出双手，抱住她的肩膀。

她猛仰起头，满脸狼狈的泪水，哽咽道："我恨你！"

玉自寒将她抱得近些，哑声道：

"不。"

她哭着奋力挣扎："我真的恨你！"恨你让我这么伤心，失去你的恐惧，甚至超过战枫的背弃。

玉自寒胸口钻痛，轻咳一声，几缕血丝自口角涌出。他握住她的肩膀，摇头道：

"不。"

如歌不敢再动，望着他的鲜血，胸中亦是一阵痛楚。

他唇角有血，却淡淡而笑，笑容有玉的光华。

"不要恨我。否则，我宁可在你恨我的前一刻死去。"

*** ***

皇宫。

皇上六十寿宴，众皇子和大臣们皆盛装出席。

如歌眼睛眨也不眨地盯着玉自寒。

哇，看惯了他朴素的青衫，没想到换上一身锦袍后，竟然会那样俊美好看！月白的锦袍，绣着龙的暗纹，雍容华贵，光彩流淌，发上束有玉冠，左手戴着古雅的羊脂白玉扳指，笑容淡雅，有不怒自威的气势。

虽然在轮椅中。

静渊王却依然如美玉一般，悠然莹润，使众人投在他身上的目光不由得恭敬起来。

只可惜身有残疾……

席间大臣们的心中无不感叹。静渊王的能力毋庸置疑，每当皇上因故不能理政，总是令他代为打理，他似乎每一件事都可以处理到分寸恰好。皇上对静渊王亦是青睐有加，各地进贡来的宝物，最好的总是赐予他。

如果静渊王没有残疾，怕是敬阳王与景献王承继皇位的机会很小。

可惜啊……

"师兄，原来你长得很美呢！"

如歌托着下巴笑，眼睛亮亮地瞟着他："奇怪，以前我怎么没有发现，我的师兄竟然是翩翩浊世美公子，不对，是美王爷。"

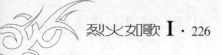

玉自寒摇头轻笑，静静地品茶。

如歌打趣完他，开始观察席间众人。对面有两位王爷特别惹眼，一位年纪稍长，紫面美髯，五官威严，身板坐得极直，有凌人的气势，应该是敬阳王；另一位面若银盘，丹凤眼，笑容很谦恭，指甲修得很整齐，应该是景献王。

她的目光正好与景献王的目光碰到。

她点头示礼。

景献王恍然怔住。

辉煌富丽的乾阳殿。

酒香四溢。

亮如白昼。

酒杯顿在半空，景献王的手指捏紧。

刘尚书凑过来："王爷？"

"她是谁？"

静渊王身边的女子，笑容似撒娇的猫儿，眼睛亮得像星星。她的美丽就如黑暗最深处的火焰，强烈令人窒息，引得人就算被焚成灰烬，也想将她占为己有。

"她？……哦，她是烈火山庄烈明镜的女儿。皇上听说她在静渊王府，特意召她来的。"

丹凤眼眯起来："烈火山庄？"

烈火山庄的势力虽在江湖，但近十年来触角不断蔓延，在宫廷中也有了说话的声音。敬阳王那一派，似乎就有烈火山庄的支持。

"如果静渊王娶了烈明镜的女儿……"刘尚书也察觉到静渊王

与那红衣少女神情亲密。

景献王冷笑。

"烈明镜会不会将庄主之位传给他的女儿呢？"刘尚书低声揣测。

酒洒出来，流在修剪整齐的指甲上。

另一边。

"师兄，我不太喜欢那个景献王。"如歌耸耸鼻子，难受道，"他好像一直盯着我看。"

玉自寒抬头。

淡淡的目光中有股寒意，越过宽阔的殿堂，扫在景献王脸上。

景献王一惊。

酒杯"啪啦"一声跌在案上，酒水泼湿了他的华袍，声音很响脆，众人都望过来。

刘尚书急忙为他擦拭。

景献王一把推开他，心底暗自恼怒。只不过是一个残废，他刚才为什么会感到恐惧呢？

"哈哈。"

如歌轻笑，偷偷握住玉自寒的手，眨眨眼睛："师兄，你真棒！"

玉自寒淡笑。

望着她晶莹的脸庞，他忽然发现，这段日子她的确一日比一日更加美丽，就好像压抑了千年终于要绽放的鲜花，那光彩让人神为之一夺。

"皇——上——驾——到——"

众皇子与大臣们跪地接驾。
只有玉自寒坐着。
在大殿中尤显华贵出众。
皇上怜他双腿不便，自幼就从没有让他下跪过。

***   ***

如歌这是第一次见皇上。
她跪在地上，悄悄抬起眼睛，想要看一看皇上长得什么样
子……
但是——
她没有来得及去看皇上。
却被皇上身边的一个人夺去了呼吸！

白衣如雪。
光芒耀眼。
虽然柔软雪白的斗篷遮掩住那人的面容，但优美绝艳的双唇
依然勾魂摄魄。
那人仿佛是玲珑剔透的，强烈的光芒让人睁不开眼！
盈盈飞雪中。
晶莹璀璨。
那人好像是雪幻化而成，却有哀愁和伤痛。

如歌惊怔。

脑袋阵阵嗡鸣。

她诧异地望着那人，没有听见皇上命众人平身，没有发觉大殿中只有她一人还突兀地跪着。

玉自寒俯身将她扶起来。

她怔怔地坐在席间，目光仍盯着白衣人看。

是他吗？

他为何会在这里？

皇上眉毛极长，眼神很温和，脸色红润，并不像久病初愈的样子。他的两鬓已花白，酒量却好像很好，转眼已饮下三杯。皇上身旁并肩而坐的是白衣人，不言不语，静静地饮酒。

"他是谁？"

如歌怔怔地问。

在殿堂之上可以与皇上并肩同坐，且不用下跪，神态也未见得有多么恭谨。究竟是何等的身份，可以让白衣人俨然有一人之下、万人之上的地位？而白衣人给她的感觉，怎么如此熟悉。是他吗？看不见容貌。

没有人回答她。

玉自寒正望向皇上，没有"听见"她说话。

"恭贺父皇身体康健！"

景献王举杯敬道。

"好——好——"皇上神清气爽地大笑，侧身对白衣人道，"这全是雪衣王的功劳，来，让朕敬你一杯！"

殿堂上众人的目光皆投向神秘的雪衣王。

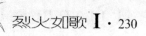

雪衣王一向如神龙见首不见尾，有时会突然在宫中显身，有时几年没有消息。但所有的皇子和大臣都知道，这仙人一般的雪衣王是世上惟一可以左右皇上心意的人，他的一句话，比所有人的进奏都有用得多。

雪衣王是神仙。

这是宫中的传言。

刘尚书记得二十年前见到的雪衣王，同现在一样，风姿绝美，只要看一眼就让人心醉神往。

可是，却始终没有人真正见过雪衣王的面容。

他或是斗篷掩面，或是轻纱缭绕，仿若云中雾里。有人曾经打赌雪衣王其实长得很丑，命武功高强之人去强行撩开他的斗篷，但雪衣王似乎只是轻轻弹下手指，奉命之人便昏死过去，打赌之人也被皇上严加惩罚。

皇上似乎对雪衣王极为敬重，没有人知道其中的原因。

雪白的斗篷下，优美的双唇轻轻一笑，有如春夜的海棠花。

"皇上的酒我不喝，我要她敬的酒。"

说着——

晶莹的手指伸出——

点中了静渊王身边的红裳少女！

亮如白昼的乾阳宫。

众人诧异。

啊，也只有雪衣王可以公然提出这样的要求。

如歌惊大了眼睛。

在皇宫中，这人居然可以如在青楼一般，随意点个姑娘来陪酒吗？她怒气暗涌，这雪衣王不仅在侮辱她，还侮辱了同她一起的师兄！

她眼冒怒火，向斗篷遮面的雪衣王瞪去！

绝美的唇勾出幽幽的恨意，淡淡道："皇上，你看，连静渊王身边的小丫头都不将我放在眼里。"

皇上僵住，不知该如何是好，一边是最疼爱的皇子，一边是他最倚重的雪衣王。

这时——

玉自寒握住如歌的手。

他轻轻褪下左手的羊脂白玉扳指，将它戴到她的左手拇指上，然后，抬起头，如玉的面容有柔和的光华。

皇上大喜，起身笑道："哈哈，玉儿终于选定你的王妃了吗？"

玉自寒含笑点头。

四下顿时一片贺喜之声，方才的尴尬似乎都被众人忘掉了。

皇上大笑道："哈哈哈哈，这是我收到的最好贺礼！"一直对玉儿怀有歉疚，如今见他亦有了心爱的女人，不由心中大慰。

如歌惊诧地望着玉自寒。

玉自寒只是微笑。

"太好了。"

低沉优美的声线自雪白斗篷传出，穿透热闹的殿堂，隐隐有着怨气，使众人霎时寂静起来。

美如雪花的手指掂起酒杯，轻笑：

"让我祝二位长命百岁，白头偕老。"

如歌一阵背脊发凉！

她听得出那"长命百岁"、"白头偕老"中的怨恨与诅咒，惊得仿佛置身于冰窖之中！

***   ***

没有月亮。

没有星星。

夜色如噩梦一般，透过窗子笼罩住沉睡中的如歌。

她的额上净是细密的汗珠，眼睛闭得很紧，脸色有些苍白，脑袋在枕上不安地摇动。

……

……雪笑得有点失措："你在说，你不会爱我吗？"……

……"是。我不爱你。"……

……她听到声音从她口中传出，她看到雪的面容霎时苍白，在那一瞬，她忽然担心他会立时死去。……

……一颗雪珠如泪水一般滚下雪的面颊。……

……他哑声道：……

……"如果你让我跟你走……"……

……"不可能。"……

……

……"他一定会死。"……

……"你说什么？！"……

……

……"因为我恨你。"……

……

"啊——！"

她"腾"的一声坐起来，眼睛睁得很大，双手紧紧攘着被子，如雨的汗珠从煞白的额头滚下。

慢慢地，她揉一揉眉心。

只是一场梦，或许一切只是她的错觉，毕竟她没有看见雪衣王的面容，不过是她的胡乱担心罢了。

眉心忽然有温润的感觉。

是那只白玉扳指，戴在她的拇指显得有些大，却没有滑落，精致细腻的龙纹雕花，在漆黑的夜里，依自有着温温润润的光华，让她只是看着，心里就忽然宁静许多。

"烈如歌。"

突兀地，一个冷艳的声音自窗外传来！

如歌猛望去！

只见木窗外，隐约有一个极淡的身影，美丽孤绝，一身黑纱，仿佛与夜色溶在一起，冰冷的感觉使秋夜如寒冬一般肃杀。

"你是谁？"

她问。

这人如何能在深夜潜入静渊王府，行踪又如此诡秘？她的双

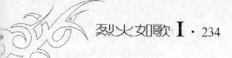

拳暗暗握起，挺直身子。

窗外是青竹。

夜色中有竹叶细细的剪影。

黑纱女子冷笑："我若要取你性命，十个烈如歌也早死了。"

如歌笑道："哦，那你找我的事情一定很重要，最起码比十个烈如歌的性命还要重要。"她不会幼稚到认为这女子在此时出现，只是来跟她打招呼。

黑纱女子凝视她。

忽然冷哼："好，的确是烈明镜的女儿。"

如歌微笑道："多谢夸奖。有什么事情你只管说，我还要接着睡觉呢。"

黑纱女子目光连闪。

原以为她会惊叫，或者发怒，没想到居然是如此平静的反应。

"静渊王中的是寒咒。"

黑纱女子道。

"寒咒？"如歌皱眉，只听说过有人中毒，没听说中咒。她凝望黑纱女子，"如何中的？"

"玄冰盏是皇上赐给静渊王的。"

如歌目光骤紧："杯子有毒？"师兄平日里品茶的杯子不就是玄冰盏吗？

黑纱女子道："是咒，不是毒。毒有解，咒无解。"

如歌道："天下之大，万物相生相克，哪里会有确实无解的东西？！”

黑纱女子道："不错，只是静渊王中的寒咒，药石无能为力。可以救他的只有——"她忽然顿住。

如歌听着。

黑纱女子诡异地冷笑——

"雪衣王。"

这三个字，冰彻入骨，似乎带着莫大的恨意。

如歌等了一会儿，见她没有下文，才问道："雪衣王究竟是谁？为何有这么大的本事？"

黑纱女子冷道："你的问题太多。"

如歌轻轻一笑道："告诉我吧。否则，我如何能相信你呢？"

"你……"

"你来找我，必是希望我相信你啊。"

黑纱女子的目光极冷，半晌，终于道："世人只知道'人间烈火，冥界暗河'，却不知前面其实还有四个字——天上银雪……"

"天上银雪，人间烈火，冥界暗河？"如歌喃喃道，眼睛闪亮，"莫非雪衣王就是天上银雪？"

"正是。"

如歌震惊。

暗河宫她不晓得，但烈火山庄的势力遍布天下，弟子逾万，而雪衣王居然可以同烈火山庄相提并论？！

黑纱女子渐渐消失在夜幕中。

"记住，只有雪衣王能救得了静渊王。"

话语中似乎竟有些恶毒。

如歌轻喊:"等一下!你又是谁?"

夜色中。

竹叶"沙沙"作响。

黑纱女子的身影消失在黑暗中……

*** ***

薄如蝉翼。

莹白剔透。

只有一抹碧绿,仿佛春天的新芽。

"这就是玄冰盏?"

如歌目不转睛地瞅着沉香案上的茶杯。

玉自寒点头。

"皇上是什么时候赐给你的?"

"两个月前。"

如歌的眉毛皱了起来,将玄冰盏拿在手中把玩。想一想,她倒进些清茶,用银针去试。没有变黑呀,应该是没有毒的。又或者这种毒是银针试不出来的?她将盏中的茶水泼在地上,也未见任何反应。

"是不是只有你用这只杯子呢?"

"是。"

玉自寒忽然胸中一痛,嘴唇渐渐苍白,他侧转头去,不愿她发现自己的异常。

如歌沉吟道："师兄，你说会不会是这只玄冰盏有问题？"那黑纱女子说是寒咒，虽然古怪，但会不会是真的呢？

玉自寒没有"听见"。

体内翻绞般寒冷的疼痛，使紧握的手指青白，他抿紧颤抖的双唇，克制住欲逸出的呻吟。

如歌轻叩玄冰盏的杯壁，半晌没有听见玉自寒的回答。

"咦，师兄，你怎么……"

她回过头去——

大惊！

鲜血狂涌出玉自寒的嘴角！

青色的衣衫上满是暗红的血渍！

轮椅中，他的脸色苍白如纸，清远的眉宇间似乎凝结着冰霜，森冷的寒气笼罩着他的浑身……

如歌顾不得手上的玄冰盏，惊扑过去：

"师兄！"

玉自寒用绢帕掩住嘴唇，哑声道："不要怕，一会儿就好。"

鲜血将绢帕濡湿成小小的一团，仿佛喷涌而出的泉水，透过他的指间，滴滴淌下……

"师兄！！"

如歌慌急得只能喊出这两个字，扶住他的胸口，恨不能让他的痛都转到她身上！

玉自寒已经虚弱得说不出话，用沾血的右手拍拍她。

不要怕……

答应了你，就不会那样轻易地死去……

诡异的寒光！

在如歌和玉自寒之间骤然闪出！

那光芒寒冷到可以刺伤人的眼睛，泛着阴厉的冰芒……

两人俱是一怔。

定睛看去——

却是玉自寒的血凝在玄冰盏上，变成了森森的寒冰，有妖异的灿光！

*** ***

是夜。

如歌抱着膝盖坐在庭院的青石地上。

秋天了。

夜里很凉。

寒气好像从地下涌出，她的胸中一片冰冷。

玉自寒的屋中，灯火已灭。

咳嗽的声音不再传出。

他是睡下了吧。

如歌把脑袋埋在膝盖中，闭上眼睛，咬紧嘴唇。

她没有守在师兄身旁，因为，她知道，她悲伤的表情会让师兄更加担心，她想做快乐的如歌，可是——

她再也伪装不出来。

夜风沁凉。

几株桂花树。

馥郁的花香在空荡荡的庭院中飘散。

桂花树下。

孤单单的如歌。

鲜红的衣裳仿佛失去了色泽。

不知多久。

皎洁的月亮出来了，又大又圆。

星星也很亮。

有柔和的琴声，好像月光一般流淌……

柔和而温暖的琴声……

像一件轻柔暖和的衣裳，轻轻披盖在如歌的心上……

如歌怔怔地抬起头。

一张红玉凤琴。

轻笑的飞雪，跳跃在芳香的夜空中。

优美纤长的十指，将银丝般的弦轻轻抚弄……

柔亮的长发。

那身白衣比月华耀眼。

他对她笑。

满树娇小的桂花们，惊艳地摇动着黄色的花瓣，馥郁的香气
是对天人的赞美。

"丫头……"

雪叹息着。

他的目光中有无尽的感情。

如歌眨眨眼睛，忽然道："原来，你就是雪衣王吗？"

雪轻笑道："狠心的丫头！好久没见了，居然劈头就是这样一句。"

"你是吗？"

"我要先听你说，你有没有想过我？"

如歌瞪着他。

雪悠然抚琴，笑吟吟地望着她。

如歌深吸一口气，道："你好吗？我很想你。"

雪轻怨道："就这样？你有没有想我想到茶饭不思呢？"

如歌"呼"的一声站起来！

她转身要走。

"臭丫头，那么大的脾气！"雪无奈地叹息，"怕是玉自寒已经很危险了吧。"

她站住。

转身，又一次问道："你是雪衣王吗？"

雪凝视她。

静静地，他说："是，我就是雪衣王。"

CHAPTER 12
LIEHUO RUGE I

如水的月光。

满树桂花。

娇小玲珑的花朵热烈地吐着芬芳。

"昨夜有人对我说，"如歌鲜艳的红衣在月色中有逼人的美丽，"师兄的'病'只有雪衣王可以治得好……"

雪轻笑，仿佛迷人的花香：

"哦，她这样说。"

如歌望着他，目光渐渐凝重："雪，我想知道，师兄身上的寒咒是你下的吗？"

雪轻轻瞅她，漆黑的眼眸中似有忧伤流转。

"你说呢？"

如歌沉默一会儿："希望不是你。"

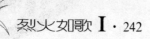

雪笑得耀眼："好啊，那就不是我！"他笑一笑，又说，"我那么喜欢你，怎么会去做让你难过的事情……"

"雪……"

"说啊……"

如歌揉一揉眉心，道："好，我相信你。"

雪笑吟吟地将她拉下来，两人肩并肩坐在桂花树下，皎洁的月光筛过轻摇的花叶，温柔地洒在他和她的身上。

他没有骗她。

寒咒的确不是他所施。

只不过，皇上将那只玄冰盏赐给玉自寒时，他也在。他怎会不知道玄冰盏中有什么古怪，可是——

细风吹过，如歌的眼睛怔怔地望着师兄的厢房，雪只看见她洁玉般的耳垂，一小朵黄色的桂花坠在她的肩膀上。

他凝望着她。

夜空中万千云气舒卷。

可是，只要能像这样留在她身边，他任何事情都愿意去做。

"你怎么进来的？为何在王府中抚琴却没有侍卫出来？"

"我设了结界啊，只有你能看得见我、听得见我。"雪将她肩上的花朵拈下来，托在手中。

"哦。"

他的话很奇怪，但如歌已经不想多费脑筋了。

"那黑纱女子是谁呢？"

"暗夜绝。"

"暗夜绝？"如歌扭过脸看他，"是暗河的人吗？名字跟暗夜罗好像。"

"她是暗夜罗的妹妹。"

如歌想一想:"你认得她?她说话的口气好像很恨你。"

"你在关心我,对不对?"

雪将桂花凑近鼻间,轻轻吸着芬芳。

"你是我的朋友。"

"所以关心我?"

如歌瞪着他,对这样孩子般的追问哭笑不得:

"是!"

啊,幸福而甜蜜的花香!

雪的笑容闪闪亮亮,他飞快地在她颊边落下一个清香的吻,

笑道:

"多好,你心里有我。"

如歌用力将颊上奇异的感觉擦掉,瞪他:"正经一些说话,行

不行?!"

雪微笑不语。

"她说只有你能治好师兄。"如歌俯在膝盖上,胳膊将腿抱得

很紧,"可是,我总觉得她似乎存有恶意。"

"然后呢……"

"会伤害到你吗?"如歌紧紧望着悠然而笑的雪。

雪静静凝视她:

"如果会伤害到我,那又怎样?"

如歌咬住嘴唇,摇头道:"那就算了。"

仿佛雪地上最耀眼的阳光,他的眼中有闪亮如泪的光芒。

雪屏住呼吸：

"我以为……"

原来，在她的心里，并不是只有玉自寒啊。他，也是她所在意的啊……

夜色中。

桂花香气如月光一般美丽。

如歌怔怔道：

"每一个人的生命，都没有权力以另一个人的生命来交换。"

"如果玉自寒真的死掉呢？"

她闭上眼睛："我不知道。"她的脸色苍白，幽黑的睫毛微微颤动，"我不能去想……"

"你爱他吗？"

雪的声音轻若花瓣飘落。

宁静。

然后是她的回答：

"从小时候，只要在师兄身边，我就会觉得很安全，无论是开心还是难过，只想要讲给他听。我那么喜欢战枫，可是他知道的关于我的事情远远没有师兄知道的多。我知道，师兄最爱护我，尽管有时候还对我凶，可是在师兄眼里，我是最好的……"

她轻轻地说：

"我自然爱师兄。有他在，无论发生什么样的事情，我都不会害怕。可是，师兄'生病'了，他虽然一直都在对我微笑，可是我就是知道他身上其实很痛。"

泪水静静地从她脸上滑落。

"如果可以的话，我宁可用世上的一切来交换，让他好起来……可以在庭院里看碧玉铃铛，'听'风的声音，可以在窗前喝一杯新茶，可以永远让我趴在他的膝上，拍拍我的脑袋……"

她的眼睛依然闭着，睫毛在泪水的浸泡下湿湿亮亮的。

"可是，他要死了吗……"

没有了师兄的日子，会死寂空洞得仿佛冬日里深深的枯井……

"笨丫头！"

雪的食指弹上如歌的额头，清脆的爆响惊落了沉静的桂花，悠悠飞舞在雪白的衣衫上……

"你真不是普通的笨啊，用你的笨脑袋想一想，我为什么会出现在这里呢？"

"为什么……"如歌额上一块胭脂般的红印。

雪笑得很得意："我在等你求我啊，求我去救你的师兄啊。"指间的花瓣滴溜溜旋旋舞，"看我对你多好，暗夜绝告诉你只有我有本领治好玉自寒，我就巴巴地跑过来了，都不用你费力气去找。"

"是你叫她来的吗？"

"那有什么关系？"雪笑道，"重要的是，我的确可以让玉自寒变回活蹦乱跳的样子。"

雪轻轻伸出手掌。

忽然间，雪花自他的掌心飞涌出，漫天轻扬，或是飘向夜空，或是依恋地在他眉梢唇角跳跃，映着皎洁的月光，满树黄色的桂花下，泛着银光的万千雪花，将耀眼白衣的他，映衬得像坠落凡间的仙子。

雪花越涌越多。

他的十指轻摇，雪凝成了冰，一朵绝美的冰花，晶莹剔透，

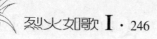

光芒极盛。

他将冰花放在她手心。

如歌惊诧地望着他。

雪开心地笑："天地之寒气全为我所操纵，玉自寒身上的寒咒，当然只有我能将它吸出来。"

如歌抓住他的胳膊："雪……"

"怎样，是不是要请我帮忙了？"

如歌猛点头："是——是——是——"紧张得有点结巴。

***　　***

月亮似乎被云遮住。

夜色漆黑。

"他会救静渊王吗？"

玄衣男子有一双古井无波的眼睛。

"哼，银雪虽然早已是仙人之身，但他的心却柔软多情。"

锃亮的铜镜中，黑纱女子将面纱慢慢揭开，冷艳的容貌仿佛凝着冰霜的白梅，让漆黑的夜又多了几份肃杀。

"如果只是为了得到那红衣女子，他似乎更应该让静渊王死去。"

"你错了。"

"……"

"如果静渊王死了，烈如歌的心只怕也会死。"

玄衣男子沉默。

暗夜绝的手指在自己美丽的脸庞上拂过，忽然一笑，肃杀之气却更重。

"不管银雪救不救静渊王，都是好事一桩。"

"是。"

静渊王死，朝中必定大乱；雪衣王若吸出寒咒，势必对身子有极大损伤。玄衣男子知道，暗夜绝其实更希望雪衣王救人，因为一个雪衣王比所有的敌人加起来更加可怕。

"十九年了……"

暗夜绝幽幽叹息。

在他出来之前，她一定要将事情办好，这样，在他的眼中，或许会有她的存在吧。

那艳阳下刺目撼人的红衣……

那惊世绝俗的气势……

那万众之王的风姿……

突然，她目光一凛！

也是红衣，那烈火山庄的烈如歌，眉眼神态间居然会那么像……

***　　***

"你觉得我会帮你吗？"

雪笑眯眯地问。

"当然啊，"如歌将他的胳膊抓得很紧，"不是说，你是为了要帮助我才来的吗？"

一片雪花调皮地在雪的鼻尖闪耀。

"笨啊，我是在等你求我，可是没有说一定会答应啊。"

"你！"

"先说好，你要是生气，我就走了。"

"好好，我不生气……呵呵，我求你好不好？救救我的师兄好啦……"

"没有诚意。"

"那——我很有诚意很有诚意地请求你！"

"嗯，让我想想。"

"……"

"……"

"雪，想好了吗？"

"我觉得很吃亏啊。"

"啊？"

"只是你的一句话，我就要劳心劳力地去救人，好像很吃亏啊。"

"那——你要怎样？"

"你什么都肯答应我吗？"雪眼睛一亮。

"先说来听听。"

雪暗暗瞪她一眼，臭丫头，为什么忽然精明了起来？

"呵呵，没关系，你说啊。"

如歌暗笑，她又不是真的那么笨。要是让她去杀掉一千个人，也能答应吗？不过，他应该不会这么离谱吧。

香气四溢的桂花树下。

雪打量她。

自从平安镇一别，如歌的模样变化很大。

仿佛凿开了外层的宝石，她浑身流溢着让人炫目的光彩。如果说原本只是一个可爱的小丫头，如今她的美丽却可以动人心魄。

雪知道，随着她的成长，那个封印的力量在慢慢减弱，她体内的火焰会越来越强，她的容貌也会跟那人越来越像。

他曾经想永远封住她。

保护她。

然而，或许有些事情她必须自己去经历。

"我要你爱我。"

雪静静地说。

如歌怔住。

她慢慢坐直身子，凝视他。

半晌，她轻轻道："我记得，我曾经回答过你。"

……

……她轻轻地说：……

……"不是不喜欢你，只是……"……

……"我对你没有那种感觉。永远也不会有那种感觉。"……

……"是，我不爱你。"……

……

"用你的爱，来换回玉自寒的生命。"

那朵小小的桂花，终于被雪拈碎了，香气极浓郁地在他指间缭绕。

如歌望着他，静静道：

"是在品花楼，我第一次见到了你。为什么我会去品花楼呢？是想要挽回战枫的心。我以为，只要我努力，只要我不放弃，就可以将他的感情留在我身上。可是——"

她微微而笑："你看，我失败了。"

"你已经不再爱他。"

"对。但我也明白了，对于爱，很多时候努力是无济于事的。"

雪古怪地瞅着她：

"你都没有去试，你会爱我的，相信我，你会爱上我的！"

如歌静默。

雪的心中一片凄苦。

那么漫长寒冷的等待，居然——

真的抵不过一个诅咒吗？

压抑的咳嗽声从玉自寒的屋中传出。

在寂静的夜中，听得分外惊心。

如歌道："如果我不答应呢？"

"那你师兄的生死就与我无关了。"

如歌一凛，目光转冷："你在威胁我。"

"对。"

"如果我答应了你，却始终无法爱上你呢？"

雪脸色苍白，透明得仿佛一个呼吸就会融掉。

"我不会怨你。"

"有期限吗？多长时间？"

如歌声音很淡。

雪轻轻拿起她放在地上的那朵冰花，冰花映着他如雪山之巅的阳光一般耀眼的容颜。

"三天。"

他对着冰花呵气。

升起一阵蒙蒙的寒雾。

三天？

如歌惊诧地盯紧他！

***　　***

"师兄！你醒了！"

床榻上小小的动静，使趴在床边的如歌醒了过来。她揉着眼睛，凑过去将玉自寒扶坐起来，替他将被子掖好，然后笑呵呵地问：

"想吃些什么呢？"

玉自寒伸出手，轻轻抚了下她的眼睛，两个大大的黑眼圈让她看起来有些憔悴。

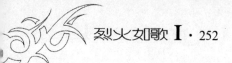

如歌眨眨眼睛："怎么样，眼圈黑黑的是不是看起来会有种慵懒的美丽？这是宫中最时兴的妆容呢！"

"昨晚你一直在这里？"

"没有，"如歌摇头，"我是天快亮了才溜进来的。呵呵，我只告诉你啊，可不能让玄璜、黄琮他们知道我偷懒。"

玉自寒微笑。

他摸摸她的脑袋，知道她不想让他担心，就没有再问下去。

清晨的阳光洒进来。

如歌忽然说："师兄，我想要离开三天。"

玉自寒望着她。

如歌扭着手指头，道："哎呀，都来京城这么久了，还没有出去玩过呢……"

"歌儿……"玉自寒道："你为什么紧张？"

"啊？！"

如歌急忙松开绞得通红的手指头，用力地笑："呵呵，我不是紧张，我是……我是心虚！"

"心虚？"

"是啊，你看，你身子不好，我还想着要出去玩，是不是很无情无义、没心没肺？"如歌苦恼地说，脸颊红红的。

玉自寒笑了。

"让黄琮陪你一起。"

"不要！"

如歌大叫。

立时她就发现自己反应过激，不好意思地笑："呵呵，我是说，有黄琮陪着，很多地方我就不方便去了。"

"你要去哪里？"

"比如……青楼啊，我要去开开眼界。"

"咳，"玉自寒好笑地轻咳，"似乎你在品花楼待过一段日子吧。"

如歌的脸"腾"地涨红！

她语无伦次地解释："不是的！不是的！在青楼里做丫头，和扮做客人的感觉会是不一样的！我是想要扮做……而不是……哎呀……"

玉自寒轻轻笑着。

"知道了，你去玩吧。"

呼——

心跳"扑通扑通"，如歌扶住胸脯长出一口气，天哪，撒谎的感觉居然这么难受！

"嗯……"如歌想一想，叮嘱他说，"师兄，我不在这里，你要好好照顾自己啊。"

玉自寒微笑，点头。

如歌忽然有些气恼："啊，我好像总是在说这句话，重复来重复去，师兄你不可以乖一些吗？不晓得我有多担心！"

她的语气仿佛他是最让人忧心的孩子。

玉自寒淡淡地笑。

在他心里，她又何尝不是他最放心不下的人呢？

"对了，这个还给你。"

如歌褪下手上的羊脂白玉扳指，笑道："这只扳指好像很了不

起啊，从小你就一直带着，在宫里那天又用它帮我解了围。"

玉自寒道："这是母亲生前之物。"

如歌一怔，那扳指顿时变得会烫手一般，急忙放进他的掌心，不好意思地笑道："对不起，我不知道，应该早些还给你才是。"这几日一直为他的"病"发愁，刚才方想起来。

雕花的白玉扳指。

在玉自寒的掌心淡淡蕴着光华。

"留下它，好吗？"

如歌惊诧地抬头。

玉自寒凝视她："我喜欢它在你身上。"

"可是……戴起来会有些大……"如歌嗫嚅道。

"父皇说，母亲一向是这样戴它。"

一根长长的鲜红的细绳，穿过莹白的扳指，他修长的手指挽住了一个很精巧的结。

玉自寒轻道："可以吗？"

如歌的脸火辣辣的涨得通红："啊……你……怎么会有丝绳呢……"

玉自寒微笑道："因为我是师兄啊。"

这算什么答案？！

只要是师兄，就可以未卜先知地在身上备根绳子吗？

如歌不服气地瞪他！

却一不小心，望进了他深深的眼底……

清晨阳光灿烂。

小鸟在歌唱。

风吹着树叶"哗啦哗啦"响，像如歌骤然狂跳的脉搏！

玉自寒的眼睛。

温和清澈……

然而多了些以前从未有过的执拗……

他望着她，眼中有那么多深深的感情……

如歌揪紧了棉被的青色缎面。

她无措地喊："师兄？"

玉自寒微笑着，却执拗地将穿着白玉扳指的红绳套过她的头顶。

他清寒的双手轻轻拂过她的发丝——

拂过她的耳朵——

拂过她滚烫的面颊——

拂上她的下巴——

然后——

他吻了她。

那年。

满树海棠花。

春风如醉。

漫天粉红色花瓣梦幻般迷离地飞舞。

一只青涩的小杏儿，酸得他要从轮椅中跳起来！

从此，他心里就有了她。

一直没有让她知道。

因为他有残缺。

因为她太美好。

因为她心里另有喜欢的人。

可是——

这一刻，他想吻她。

她有些惊慌的双唇，在他的唇下轻轻颤抖。像泉水一样清甜，他轻轻吻着她。他吻着她，她的身子有些僵硬，可是，他知道她不会推开他。

因为，她会怕伤害到他。

这一生，就让他放肆这么一次。

吻着他爱的人。

然后，他会幸福地死去，告诉自己，他也吻过心爱的人。

***　　***

第二天的清晨。

当雪撩开马车的布帘，将蜷缩着睡成一团的如歌抱出来时，朝霞映在她的鬓角上，轻轻细细的绒毛像镀着柔和的金光。他含笑地对着她的耳朵轻唤：

"懒丫头，醒来了！"

在他怀中，如歌懒洋洋地动了动。

然后——

她困惑地眨眨眼睛，脸蛋通红，腾的一声，挣扎着跳下来，瞪着他："喂，为什么要抱我？！"

雪笑道："快看，我们到哪里了？"

如歌定睛看去，张大了嘴巴：

"这里——"

破晓的第一缕阳光照在雪记烧饼铺的招牌上！

一直到走进来，如歌的眼睛还是睁得大大的。

这么久没有人的铺子，里面居然一尘不染，箩筐就像崭新的一样整整齐齐地摆在墙边，有一袋新的面粉，黑黑的芝麻在碗里盛着，高高的柴火堆在灶台边，温暖的火苗在灶里燃烧。

她瞪着雪，一种不知名的情绪让她的鼻子有些酸。

雪微笑道：

"傻丫头，别只顾着发呆，快做烧饼啊，全平安镇的人都知道我们今天重新开张！"

"雪……"

"做得用心点啊，不要砸了我的招牌！"

如歌吸吸鼻子，大声道：

"放心吧！老板！我做的烧饼是天底下最好吃的！"

金黄酥脆的烧饼。

淡红如烟的美人儿。

名扬平安镇的雪记烧饼铺的招牌烧饼！

在鞭炮的"劈里啪啦"中。

从四面八方涌来的街坊乡亲将铺子门脸挤得水泄不通。

"我要一斤！"

"给我两斤！"

"四个甜烧饼！两个咸烧饼！"

"哎呀，终于又能吃到你们的烧饼了，自从你们走了，总觉得心里嘴里少点什么！"

"最喜欢吃红衣裳大姐姐的烧饼了！"

"哈哈，既然又开张了，就不要走了，街坊四邻都很想你们呢！"

"咦，前些日子你们两个是不是回乡成亲去了？"裁缝冯大娘忽然嚷嚷道，"在咱们平安镇要不要再办一场酒席啊？"

"是啊，两个年轻人没有经验，我们可以帮忙啊！"

卖菜的郭三嫂、贩鱼的郑大哥、卖胭脂的李小货郎都热情地大声说着。

如歌包着烧饼，用衣袖擦擦额角的汗，抬眼看了下雪。

雪一身耀眼的白衣，仿佛是无数道阳光幻化而成，站在那箩烧饼旁边，连烧饼似乎都有金灿灿的光芒。

他笑着，幸福的笑容让买烧饼的所有人，都好像沐浴在幸福的春风中。

"多谢大家捧场！这是我和娘子回平安镇的第一天！今天所有的烧饼全部无偿赠送！多谢大家以前对我们的照顾！"

"哇！"

平安镇众百姓一片欢声——

"祝你们白头偕老！"

"永远恩恩爱爱！"

"早生贵子！"

"多子多福！"

"一辈子不红脸不吵架！"

"大哥哥大姐姐明天就生一个小弟弟出来玩！"

"哈哈哈哈哈哈……"

那一天，雪的笑容如此幸福，如此美丽，就那样深深地烙印在了平安镇人的心底。

以至于很久以后。

当时的许多人，依然可以清晰地记起他笑时那风华绝代的模样。

***　　***

傍晚。

如歌将最后一道菜放在木桌上，把竹筷摆在雪面前，道："吃饭了。"

雪拿起筷子，托着下巴笑：

"丫头，你的脾气似乎变好了啊，早上说你是我娘子都不生气。"

如歌扒着白饭："我答应了你。"

"答应做我娘子了吗？"雪笑嘻嘻的。

如歌瞅着他："你很奇怪，总是嬉皮笑脸地开玩笑，可是，有时候又认真得很可怕。"

"这才神秘有魅力啊！"雪笑得很开心。

"没有想到，你会带我来这里……"如歌怔怔地说。

"不好吗？"

"在这里最初的时光，真的是无忧无虑。"

"你会永远记得吗？"

"永远不会忘。"

"那多好,你也会一并永远记住我。"

"雪……"

为什么他的表情那么忧伤?却只是一瞬,快得令如歌怀疑是自己眼花。

雪的笑容灿烂如春归大地百花齐开:

"丫头,我们永远留在这里,永远也不要回去了,好不好?"

"……"

"好不好……"雪小声地可怜兮兮地哀求。

如歌慢慢吸一口气,望住他:

"你是说认真的吗?"

雪的眼神渐渐暗淡,沮丧道:

"只当哄哄我开心好吗?我们就在这里生活一辈子,没有人来打扰,我只喜欢你,你只喜欢我,快快乐乐地看着你变成白头发的小老太婆……"

如歌说不出话。

半晌,她郑重地抬起眼睛,说:"雪,等师兄的病治好了,我会很用心地试着去爱你。"

雪的表情很古怪。

他低下头,飞快地将碗里的饭扒进嘴里。

"雪,你怎么了?"

如歌担忧地问。

雪吃完饭,情绪好像突然好了起来,对她笑道:

"明天早上卖完烧饼,我们去落云山玩一玩,好吗?"

"咦,那里不是很远吗?一天可以打个来回吗?"

"傻丫头，一夜之间就可以让你从京城来到这里，去落云山又算得了什么呢！"

"对呀！我忘了问！你怎么让马车跑得那么快？！"当初她赶去京城，可是足足用了四天三夜。

"哈，"雪得意洋洋地笑，"你没有发现吗？我是仙人……"

如歌皱起脸："拜托，撒谎可不可以不要太离谱，哪有你这么嬉皮笑脸不正经的神仙。"人家神仙都是仙风道骨，很有气势的。

雪哭笑不得："你这个没见识的……"

如歌收拾好碗筷。

"大仙，让一让，我要去刷碗了。"

"不要叫我大仙！"

"半仙……"

"死丫头！"

"水仙……"

屋外，如歌偷偷笑着刷碗。

屋里，雪气得跳脚，但唇边却有一抹宠溺的笑容。

***　　***

天空透彻蔚蓝。

白云在山腰海浪般翻涌。

绿茵茵的满坡青草。

小小的野花迷人地在山石间摇曳，芳香扑鼻。

　　如歌摊开四肢躺在青草上，鲜红的衣裳在阳光照耀下，有夺目的光彩。她的呼吸很轻，似乎已经睡去，梦中依然淡淡皱着眉，唇角恍惚有轻轻的呢喃。

　　一片宽大的雪白衣袖为她遮住太阳。

　　睡梦中，如歌的脸侧过去。

　　一根青草触到她的唇瓣，清香而青涩……

　　像是吻的味道……

　　……

　　那时，他吻住了她……

　　他的唇清凉而紧张，吻着她，微微有些颤抖……

　　她慌得不知道该怎样做……

　　双手僵硬在身旁……

　　或许，她应该推开他，她能够推开他……

　　她感觉到他的唇轻轻吻着她……

　　她的脑中一片空白……

　　战枫的吻是激烈而残忍的，而他的吻，那么温暖……

　　他吻着她时，她悄悄睁开了眼睛……

　　他清远如玉的面容，有两抹羞涩的晕红，眼睛闭得很紧，像是怕一睁开，一生的梦就会醒来……

　　她的心砰然变得像棉花一般柔软……

　　那样的他……

　　她静静又闭上了眼睛，双手扶住了他清瘦的腰身……

　　她，也轻轻吻着他的唇……

　　……

刺目的阳光！

啊……

如歌难受地用手遮住眼睛！

终于，她呻吟着醒了过来，睁开眼睛，看见一身白衣的雪背对着她而坐，背脊挺直，仿佛压抑着极大的怒气！

她觉得不对劲："雪，你怎么了？"

雪怒声："你在干什么！"

"啊，我好像睡着了……"

"你梦见谁了？！"

"我……"如歌皱眉，坐起身来，"……我梦见谁，有什么关系吗？"

雪转过身，发怒的样子像疾风骤雨中摇摇欲坠的梨花！

"你梦见玉自寒了，对不对？！"

如歌沉默。

"你骗我！"雪气得脸色煞白，"你答应了这三天会好好爱我！却在偷偷地想玉自寒吗？！"

如歌偏过脑袋，咬住嘴唇。

"好！你好！"雪恨声道，"既然你骗了我，那我也不要去救玉自寒了，你现在就走！"

如歌惊怔，瞪住他："你说什么？"

"我——说——我不要去救玉自寒了！我为什么要救他？！他跟我有什么关系？！"

雪愤不择言，她沉睡时那温柔怜爱的神情，那嘴里喃喃的"师兄"，刺激到他每一根敏感的神经。

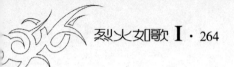

山谷中穿过一阵疾风。

洁白的云海被吹得汹涌翻滚。

如歌握紧拳头："你在无理取闹吗？我是答应这三天会试着去爱你，可是，在梦里会梦到什么，是我能控制的吗？"

雪愤愤地瞅着她，眼中有委屈。

山中很宁静。

野花摇摆的响动轻不可闻。

如歌停一下，道："是，师兄跟你没有什么关系，你不用必须去救他，是我在勉强你。"

她站起来，低声道："对不起，我没有办法爱上你。我走了。"

空气顿时沉静得怪异。

她回过身，离去。

心中不是不难过，可是，终究她也无法骗自己。雪对她的感情，她知道，她想回报，可是，却无法用这种方法。

明知道不爱他，何苦又欺骗自己，又欺骗他呢？

鲜红的裙角掠过茵茵的绿草，如歌的眉宇间有无奈和自嘲。这一刻，她只想赶回去，回到玉自寒的身边，哪怕他必定会死，在他去之前，她要一直在他身边。

然而——

她走不动。

雪轻轻扯住了她的裙角，力道不大，却让她半步也挪不了。

"还有一天半。"

声音柔美低沉。

"不爱我，就假装爱我好了。"雪的手指苍白，"只要一天半的时间。"

她心乱如麻。

"我会治好玉自寒。"

天空蔚蓝如洗。

野花静静芬芳。

雪固执地扯着如歌的裙角，久久没有放开。

***　　***

时间就这样过去了。

第三天的夜晚。

如歌将铺子里所有的东西收拾得整整齐齐，然后坐在门槛处，托着下巴，望着天上的月亮，怔怔出神。

明天她就可以回去，不晓得师兄现在怎样了。

有人在她身边坐下，也托着下巴。

他的白衣比月光皎洁。

"丫头，是我搞砸了一切。"低低沮丧的声音，"刚来的时候，你还那么开心，可是，昨天我莫名其妙地对你发脾气……"

"对不起。"如歌静静地说。

"……"

"是我伤了你的心。"她望向他，眼眸柔和安宁，"雪，伤害了你，我会受到惩罚的。"

月光下。

雪的肌肤晶莹得仿佛透明，他轻轻摇头，笑容温柔如水：

"不会，我会把一切对你的伤害都背负起来。"

如歌怔住，缓缓道："雪，你为什么喜欢我？为什么当初在品花楼你会选中我？"

"傻丫头……"

"……"

雪叹息："还是不明白吗？不是我选中了你，而是我一直在品花楼等你。知道你有一天会来，于是，我开了这品花楼。"

"哦，原来你就是品花楼的大老板。"如歌想一想，又笑，"我曾经很崇拜你呢。"怪不得，开好一家烧饼铺对他亦是小菜一碟。

"现在你也可以崇拜我啊。"

"为什么要等我？你以前认识我吗？"如歌接着问。

雪的目光渐渐悠长。

月色轻洒在他的白衣上，他沉浸在回忆中的目光，如月色一般悠长。

"我等了你很久很久。"

"有多久？"

"自你出生前，我就在等你。"

"哦。"

如歌抱住膝盖，不再说话。

"臭丫头！你就只有一个'哦'吗？"雪凶神恶煞。

"那要说什么？"如歌皱皱鼻子，"说谢谢你，我很荣幸？"

"死丫头！！"

如歌笑道："你看，如果你在骗我，我为什么要谢你呢？如果你喜欢的是出生前的我，姑且不说这有多滑稽，那也用不着我感激，感动的应该是'她'。"

她扭过头，凝望他："雪，不管你是因为什么对我好，你对我的好，我都在心里记着，或许不能用你希望的方式来回报，可是，我真的都知道。"

秋夜的风，拂过月下的树梢。

坐在烧饼铺门槛上的两人，就那样，宁静地彼此凝望。

他白衣皎洁。

她红衣鲜艳。

在璀璨的夜空下。

目光静静流淌。

良久。

"丫头，答应我一件事情好吗？"

"什么？"

"让我躺在你的怀里，就像你的情人一样，你用手轻轻抚摩着我，我像孩子一样睡着。"

*** ***

长廊下。

"丁丁当当……"

碧玉铃铛被风吹得狂乱！

薄如蝉翼的铃铛，只恐风若再疾劲些，便要碎去了……

轮椅中。

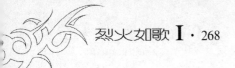

青衣的玉自寒似已睡去。

眉间的寒气显得愈发厚重，清俊的眉上好像结了冰霜。

但，他是微笑的。

仿佛——

他又回到了那个清晨。

轻轻吻着心爱的人。

她似乎也轻轻吻了他。

玄璜将毯子盖在玉自寒身上，然后想把轮椅推进屋里。

风越来越大了。

月亮也被乌云遮挡。

玉自寒摇摇手。

他没有睡。

他要在庭院里，如果她回来了，就可以早一些看得见。

*** ***

平安镇。

烧饼铺里。

雪像孩子一样睡在如歌怀里。

他睁着眼睛，调皮的样子也像一个孩子。

"你身上很香。"

如歌怔怔地回过神，道："是吗？"

"是啊，"他耸耸鼻子，"好像比我还香。"

"哦。"

"丫头，你可以专心些吗？不要再去想玉自寒了，"雪委屈地在她怀里翻个身，"人家只有这一晚上。"

声音中有凉凉的寂寞。

如歌听着，忽然皱眉道："雪，救了师兄，你不会有事情吧？"记得问过他这个问题，而他并没有正面回答。

雪将脸埋在她香软的腰间，孩子般闷声道："不会有事，我是仙人，不会死的。"

"真的吗？"

"什么时候骗过你？"

"你当然骗过我，跟我回烈火山庄的时候，你说……"

"还在记恨啊。"

如歌叹息："倒也不是，只是，总觉得有些担心。"

"放心好了……"

夜越来越深。

雪闭上眼睛，呢喃地说："我要睡了。"

"睡吧。"

如歌靠在墙上，把被子盖在他身上。

"你对玉自寒也这样细心吗？"雪的唇角有丝苦涩。

"什么？"

她没有听清。

"我说，你可以拍着我的肩膀吗？这样，我可以睡得更香甜些。"

"哦。"

如歌轻柔地拍着他，一下一下。

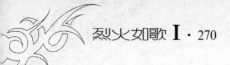

那一夜。

就这样过去了。

如歌倚着墙，怀里抱着孩童一般的雪，慢慢地，她睡着了，拍着他的手掌慢慢滑下来。

雪却没有睡。

在她怀里，静静地听着她均匀的呼吸。

她，离他那么近。

这一夜，他想拉成永恒那么长。

CHAPTER 13
LIEHUO RUGE I

"今晚？"

"是。"

"消息放出去了吗？"

"该知道的都已经知道。"

"那里守卫如何？"

"……"

"黑翼？！"

暗夜绝不悦地盯住忽然沉默的男子。

"属下觉得奇怪，"黑衣男子眼中有犹豫，"静渊王府的防备比平日好像松懈许多。"

"哦？"

暗夜绝暗暗吃惊。雪衣王向有神算，断不该这般松懈大意。

"属下担心其中有诈。"

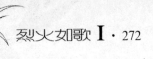

她冷哼："不管是否有诈，这都是难得的机会，绝不可以错过！"

"只有三宫主跟属下两人同去？"

"你对本座没有信心？！"

"不敢。"黑翼沉声道，"只是多带些人把握更大些。"

"哼！"暗夜绝狠狠地一振长袖，"你明知我是偷偷出宫，偏说这些做什么？！"

黑翼垂目而立。

"若是你怕'他'日后责罚你，这次也不用跟着我了！"

"属下不敢。保护三宫主是属下的责任。"

"那就少废话！知道你们从来就没有将我看在眼里！"

"属下不敢。"

黑翼的目光如古井无波。

暗夜绝恼怒地一掌甩翻案上的铜镜，冷艳的面孔裹上严霜，大步迈出阴暗的殿堂。

黑翼跟随。

奇怪，这殿堂如此阴森寒冷，莫非是在地下不成？

        ***   ***

静渊王府。

赤璋、白琥、玄璜、黄琮皆神色凝重，站在厢房外的长廊上。

窗上透出摇曳的烛火。

隐约可以看见两个身影，一人似坐在轮椅上，一人盘膝坐于他身后。

两人这个模样已然半个时辰。

庭院中一片寂静。

只有阵阵带着寒气的白烟，从窗中暗暗透出。

树叶轻动。

白琥低声冷笑道："好像要来了。" 黄琮握住腰间的长河剑，颦眉道："来得好！"

白烟绵绵不断地从木窗涌出。

赤璋的脸似乎更红胀了些，他的手掌似乎也比平时大了一倍，像涨满了血一样。

玄璜却好像没有听见他们说话，径直望着那安静的窗子，淡眉细目间看不出有什么变化。

夜色中传来一声清啸。

像是鹰。

但这里哪儿来的鹰？

白琥、黄琮、赤璋循声望去，心中早已打起十二分警惕。

玄璜也缓缓转回头。

***　　***

一盏微弱的灯。

如歌用内力护住它，使它不至于像另外七盏灯一样被寒气逼

得熄灭掉。

她眼睛眨也不眨地盯着玉自寒和雪。

忘记了该如何呼吸。

屋内如严冬一样寒冷。

玉自寒面色苍白，青衣被薄汗濡湿，体内仿佛有无数道阴寒的气流游走，又仿佛正在被一个更强大更森寒的黑洞吸入。

可是他无力抵抗。

因为雪封住了他所有的穴道。

雪盘膝而坐，掌心抵住玉自寒的后背。

袅袅寒气自雪的头顶溢出，他的脸色亦是苍白，却苍白得晶莹通透，映着雪白的外衣，有种惊心的美丽。

时间仿佛静止。

如歌不晓得这样过了多久。

灯盏中的油，已经燃去了小半。

雪忽然闷咳一声，苍白的脸上透出两朵诡异的红晕。

他的手掌有些颤抖。

身子微微一斜。

如歌大惊，手一抖，滚烫的灯油落在她手掌上，险些便惊呼出来。

啊，不可以。

她知道在用功疗伤的时候最忌有打扰。

可是，看雪的气色，她真的很担心。

雪似乎察觉了她的担忧。

轻轻侧过头，对她调皮地眨眨眼睛。

丫头，我没事……

如歌略微松口气，又望向玉自寒。

玉自寒陷在昏睡中，双目柔和地闭着，嘴唇已不似前几日的煞白，面颊也有了淡淡的神采。

希望一切顺利。

如歌紧握住手中的灯。

***　　***

漆黑的夜色中。

静渊王府后院高高的墙头上，忽然多了黑压压一大片黑影。

"噗！噗！噗！"

十几只红翎白箭破空而来！

向静渊王厢房的窗子射去！

"远攻？！"

白琥用衣袖之风将射来的箭扫开，怒笑道："兔崽子们，有胆量下来跟爷爷我好生比画几招，藏在墙头上算什么本事！"

说话间，飞来的箭越来越多、越来越密！

饶是玄璜、赤璋、黄琮用尽全力将它们挑开，但在密密麻麻的箭海中，仍显得煞是狼狈。

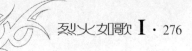

"哼哼，刀无暇那小子倒是蛮聪明！"

静渊王府东墙边的角落里，有两个淡如烟的黑影，他们似乎在一个诡异的结界中，没有人能够看到。

黑纱女子冷笑道："居然想到放箭偷袭？好主意！若是硬拼，天下无刀来的人再多，四大护卫也不会很怕；远攻放箭，只要一根箭能射进屋中，必会扰乱心神，银雪同静渊王皆会受影响。哼哼，如此便是一个寻常的天下无刀弟子，四大护卫也大意不得。"

"是。"黑翼道。

庭院处箭如雨下，玄璜等四人牢牢将窗子护住。

"哼哼，时间一长，怕他们也支持不住了。"

"静渊王府只有四个人？"

暗夜绝眼光一闪："什么？"

黑翼道："王府侍卫们去哪里了？"偌大的静渊王府，备受皇上疼爱的静渊王，怎会只有区区四个护卫？

"你是说？"

"怕是诱敌之计。"

暗夜绝一惊，再向庭院望去，只见形势已变。

厢房外的长廊上，突然放下一张孔眼很密的巨大的网，极是结实，任多少飞箭也无法射穿。

此网一放，护住窗子，墙头众箭手顿时毫无用处。

玄璜手一挥，只见几百名精神抖擞的侍卫从个各角落中现身，另有近二百人居然出现在那些箭手的背后！

可怜众箭手带来的箭已经大多射了出去，更要命的是，原本以为的偷袭，结果却是落入了别人设好的陷阱，顿时手足无措慌成一团。

无人察觉的结界中。

暗夜绝眼睛眯起来："哼哼，静渊王……"

黑翼的目中似有尊敬："静渊王虽身有残疾，但智慧却远在众皇子之上。"

"……"

以彼之道，还施彼身。

埋伏在院墙内外的王府侍卫们万箭齐发，成包围之势，向墙头上的箭手们射去！

没有了箭。

手脚好像也没有了力气。

众箭手叫苦不迭，纵飞天遁地只怕也无法从这里逃脱了，不由面面相觑，面露苦色。

这时，玄璜清啸道：

"如果不想死，就将你们的弓箭和所有的兵刃抛下来！"

突然，从墙头飞起五条身影！

疾扑静渊王厢房！

只要杀了静渊王，情势便可陡然逆转！

杀静渊王，便是今晚的目标！

"这就对了，出那么多花招，不如干脆杀死敌人！"

暗夜绝冷笑。

*** ***

如歌知道，雪用功已经到了最后的关头。

灯火一明一暗。

屋内的寒气让她浑身发冷。

玉自寒的面色逐渐红晕，清俊的面容淡淡焕出玉般温泽。

在白色的寒气中。

他却仿佛沐浴在四月的春风里。

雪的面容却惊心地煞白。

他的嘴唇也毫无血色，就如冻在薄冰中的雪花，轻轻一个弹指，就会碎裂。

他的身子轻轻摇晃。

抵住玉自寒背心的双手，已然僵冷成冰块。

*** ***

"嘭——！"

屋门被巨大的掌力震成碎片！

浓烈的白烟滚滚向屋外涌出！

隐约可以看见两人的身影，正在运功……

"好！"

暗夜绝眼光骤闪！

黑翼沉默，他远远地发现，玄璜等人并没有努力阻止那五人，当那五人冲进去时，白琥的嘴边甚至还有了笑意。

白烟涌到庭院里！

"有毒！"

屋里传出惊呼，然后是"咕咚"几声，听来像是那五人晕倒栽地的动静！

白烟飘到墙头，原本还大喜欢呼的众箭手，不觉已吸入了很多。待到发现那白烟竟是迷魂的东西，早已经迟了，东倒西歪软成一片。

"哈哈哈哈！"

白琥拍掌大笑，王爷果真神机妙算，事先已命众人服下解药。这一场想像中的恶战，竟然可以一滴血不流地拿下来！

玄璜、赤璋、黄琮亦是相视一笑。

结界中。

暗夜绝恨声道："上当了！银雪他们竟然不在王府！这一场戏却是为天下无刀准备的！"

"是。"

"闭嘴！你竟敢嘲笑本座？！"

"属下不敢。"

暗夜绝气得浑身颤抖："银雪啊银雪，莫要以为本座找不到你！只要你果然吸出了寒咒，无论藏在什么地方，我也能将你找出来！"

*** ***

沁透寒意的白雾，在屋内逐渐散去。

雪轻轻吸口气。

他对如歌招招手，然后松开了玉自寒。

"觉得怎样？"如歌急切地问着，她扶住玉自寒，感觉他的身子软绵无力得像刚出生的婴儿。

玉自寒额头有细细的汗珠，双颊有浅浅的晕泽。他虚弱道："我很好。"

然后，他对雪郑重地抱拳表达谢意。

雪却侧过身，装做没看见。

如歌道："师兄，你看起来好像很累的样子。"

玉自寒摇摇头："有一些疲惫，想睡一下。"方才的疗治，他浑身的气力都像是被抽走了，沉重的睡意让他的脑袋昏沉。

"那你睡吧。"

"好。"

如歌让玉自寒轻轻平躺在床上，听他呼吸渐轻，想他已然睡去。拍拍他的肩膀，她胸中担忧许久的一口气终于舒出。

玉自寒拂住她的手，又睁开眼，淡笑道："不要再担心。"

如歌瞪他一眼："师兄你快睡好了！"

玉自寒道："好。"

然后，他真正睡去了。

雪食指一伸，快如闪电点中熟睡中玉自寒的周身大穴！

如歌惊道："你做什么？！"

"他必须不受干扰地睡足三天三夜，否则对身体有极大伤害。我点了他的穴道，无论发生什么事情，他也不会醒来了。三天后，穴道会自行解开。"

雪的语气很冷淡。

如歌面颊"腾"地羞红，急忙向他赔礼："对不起，雪，刚才我情急之下口气不好，你不要生气。"

雪冷笑道："我哪里会生气，原就知道你心里只有师兄，何曾有过我？"

这样的雪！

如歌惊得睁大眼睛："我……"

"你走吧。"雪的声音极冷极淡，"你给了我三天的时间，我救了你的师兄，从此两不相欠。"

如歌奇怪极了。

"雪，你怎么如此古怪？"

雪冷淡道："我已对你绝望了，一个心里没有我的女人，巴巴地守在她身边又有什么意思？你快走，带你师兄一起走，我也要睡了。"

如歌僵在那里。

"不走吗？"雪站起身，"好，那我走！"

"等一下！"

如歌叫住他，走到他身前，深深鞠躬道："不管是因为什么原因，你救了我的师兄，便是我的恩人。他日若有差遣，烈如歌赴汤蹈火绝无二言！"

雪古怪地瞅着她："那你还这么多废话？我让你走！听见没有！马上走！"

如歌咬住嘴唇，抱起床上的玉自寒，打开屋门，走了出去。

屋门轻轻关上。

灯中的火苗骤然跳动，猛地一亮，然后熄灭了。

灯盏中的油终于燃尽。

屋内一片漆黑。

黑暗中。

雪就那样站着，听着外面的脚步远远地离去，那脚步的主人似乎连一丝犹豫都不曾有。

她走了。

她真的走了。

他倚住墙壁，慢慢滑下来，坐在冰冷的地上，抱住脑袋，然后，他像孩子一般开始哭泣。

无情的丫头！她心里竟然真的一点也没有他吗？虽然是他赶她走，可是她怎么可以抱着玉自寒，头也不回地就走出去呢？！她知不知道他的心已经痛得要炸开了？！

雪的白衣在黑暗中像脆弱的白花。

抽泣声越来越大。

他哭得像个绝望的孩子。

她终究还是不爱他吗？那么努力地让她快乐，让她开心，忍受那样漫长而寒冷的等待，为了她什么都可以去做，她还是不爱他吗？

他知道她没有关于他的记忆。

其实就算记得，她也从来没有爱过他。

以前没有。

如今仍是没有。

一切都是他一厢情愿，以为只要守在她身边，看她幸福，就可以满足了。但，他是贪心的，他一点也不满足！他要她爱他，哪怕只有一点点爱他！

可是，她不爱他。

寒气像魔爪一样扼住他的喉咙，泪水在他苍白晶莹的脸上冻凝成冰珠……

"看啊，这是天人银雪吗？"

阴毒嘲讽的声音在漆黑的屋里响起，那人的黑纱与夜色融成一片。

那人俯下身子盯着他："你居然会哭？哼哼，这倒是我见过最稀奇的事。"

仿佛有风吹过，雪的泪痕全无。

雪冷冷道：

"二十年前，当有人知道兄长另有深爱之人，在暗河边哭得呕吐，用发簪在自己的胸口足足戳了一十六下，不晓得是不是也很稀奇？"

"你！"暗夜绝惊道，"你怎会……"

雪冷笑道："我还知道，当年是谁放走了……"

"闭嘴！"

暗夜绝恐惧地大喊，踉跄后退两步："你——果然什么都知道？"

雪悠悠地站起来，轻轻一笑："你今天才晓得吗？果然很蠢笨，怨不得他看不上你。"

暗夜绝气得银牙欲碎："银雪，休要再狂妄，本座用两根手指

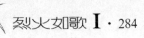

头就可以要了你的命！"

"哦？"雪轻扬眉毛。

"哼哼，"暗夜绝阴笑，"以为藏在这里就没人可以找到吗？你吸出寒咒，功力极虚，我只要稍一感应就可以找到你的方位。"

"是吗？所以你去了静渊王府。"

"你——"

"蠢货就是蠢货。"雪讥笑道，"怎么黑翼没有陪你，不怕你死在我手里吗？"

"哈哈哈哈！"暗夜绝仰声笑道，"你如今已是废人一个，只怕连只蚂蚁也无法捏死，还用得着黑翼动手吗？！"她怕黑翼听到一些不该听到的事情，打发他在远处盯着。黑翼效忠的主人从来就不是她。

"哦？那你来试试啊。"

雪的笑容淡雅动人。

暗夜绝狐疑地打量他："你的体质原本极寒，又吸入了寒咒，此刻必定寒毒逼心，有如千万把冰刀在绞剐……"

"是吗？那我岂非很痛苦？"雪轻笑。

暗夜绝眯起眼睛："你很奇怪。为什么要救静渊王那小子？如果是为了得到那个丫头的心，杀了他不是更痛快？"

"我没有你那样卑鄙。"

"哼哼，"暗夜绝冷笑，"果真正大光明的话，你怎会任由皇帝将玄冰盏赐给他？还不是想让那丫头来求你！说到这儿，你倒要谢谢我了。"

雪点头："不错，你确是帮了忙。否则我如何开口说，我知道玄冰盏中有咒呢？"

"哼，景献王原本想让皇帝中寒咒，怎晓得爱儿情重的皇帝将它赐给了静渊王。人算不如天算，不过，静渊王要是死了也不错，可惜他们又失败了。"

"运气如此差，想必你们不会看好景献王了。只是敬阳王一向有烈火山庄支持，你们想插进去只怕很困难吧。"

"未必……"话说一半，暗夜绝陡然警觉："你在套我吗？"

雪好像听了笑话："天下之事，哪里有我不知道的！"他凝视她，"送你一句忠告，战枫未必如你所愿。"

暗夜绝的眼神惊疑不定，半晌，她终于静下来。

"那你告诉我，今晚你会死在我的手上吗？"

雪的白衣在黑暗中依然光彩夺目。

"如果死，也会是因为我爱的人，而不是被你这个蠢女人杀死。"

暗夜罗的手中忽然飘出一条黑纱。

在漆黑的屋中如灵蛇旋舞。

"那我们试一试。"

说着，黑纱疾扑雪的喉咙！

***　　***

屋外，黑翼远远地站在僻静的角落里。

耳朵轻轻一颤。

他能听到屋里隐隐传来的动静。

他的面容如古井一般平淡，不见一丝波澜，似乎那里面发生

的事情与他毫无关系。

只是，如果你仔细去看，能发现他的拳握得很紧。

轻无声息地——

一个身影自他背后闪出。

一拳击向他的后脑！

黑翼应声而倒！

他晕死在地上，脸埋在泥土里。

偷袭他的人没有想到这么容易就能得手，一时有些错愕。想一想，伸手取下他腰中佩剑，又悄无声息地向屋子行去。

待偷袭之人走远。

黑翼在泥土中无声地叹了口气。

*** ***

黑纱扼住了雪的喉咙！

暗夜绝纵声大笑："哈哈哈哈！名震天下的银雪，现在只是一个手无缚鸡之力的废物！方才那么多废话，只是在拖延时间是不是？！哈哈哈哈，今天让你死在姑奶奶手中，也不至于辱没了你！"

冰寒的气息窒得雪胸口撕裂般剧痛！

他忍不住"呕——"的一声吐出血来，那血带着森森寒光，溅在黑纱上！雪苦笑。报应来得好快，他使玉自寒承受的痛苦，已经完全转到了自己身上。方才他只是在勉力支撑，但此刻寒毒汹涌攻来，再非他能阻挡。

暗夜绝收紧掌中黑纱。

"好多情的人，明知我等着取你性命，明知吸了至阴的寒咒后再非我的对手，却为了一个根本不爱你的人赌这一把！你究竟是多情啊，还是愚蠢！"

雪的面容窒息得涨红，像三月的桃花，有出奇的艳丽。

他咳着血笑："你杀了我，无非也是想让他夸赞你。他心里爱的又是你吗？"

这声音虽渐渐微弱，但如刀子般狠狠地捅在暗夜绝胸口。

暗夜绝黑纱狂舞！

她怒喝道："闭嘴！他爱的是我！他只能爱我！那个贱人，想把他夺走，只有死路一条！凡是妨碍我的人只有死！"

她神态欲疯狂！

雪忽然目光一闪，轻笑道："可是，她就算死了，他心里爱的仍然是她。你只是个荒唐的笑话。"

"我不是！啊——我——"

她狂怒地勒紧黑纱，要将他立时扼死！

然而——

一股冰凉灌穿她的胸膛！

她愕然地低头看去，只见一把锋利的剑从她的胸口冒出来！

突如其来的剧痛让她惊住！

缓缓转身——

她看到了一个鲜红衣裳面孔雪白的少女，那少女冷冷地望着她。

暗夜绝惊怒道:"烈如歌!你居然偷袭我!"死也无法相信,她居然会被一个名不见经传的黄毛丫头偷袭!

如歌扬手又将剑从暗夜绝身上狠狠拔出来!她一直在等,她知道以她的武功不是暗夜绝的对手,她只能等,等暗夜绝狂乱忘形的那一刻。

雪发现了她。

也把机会给了她。

鲜血从暗夜绝胸口狂喷而出!

如歌忽然觉得双腿有些软,这是她第一次杀人。她咬紧牙,一剑斩断缠住雪喉咙的黑纱,扶住他,却喉咙干哑得说不出话。

雪凝视着她,嫣然一笑:"丫头,你又跑回来做什么呢?"

如歌扶着他向门口走,眼睛紧紧地盯着胸口血如泉涌的暗夜绝,不晓得该不该再补给她一剑,没心情回答他的问题。

她只想赶快离开这里。

"丫头,你终究还是不放心我,对不对?"

雪笑得很轻柔。

如歌的瞳孔猛然紧缩!她发现暗夜绝胸口的血居然渐渐消失,狂舞的黑纱像愤怒的毒蛇!

暗夜绝满脸恨意,冷艳的五官有些扭曲:

"烈如歌,就凭你也想伤得了我吗?!"

如歌后背一片冷汗!

她暗暗懊悔刚才为何只刺了暗夜绝一剑就收手。

雪委屈极了:"臭丫头,为什么只看着那个丑婆娘,却不跟我说话呢?"

如歌忍无可忍,对他大喝道:"闭嘴!你难道不知道现在很危险吗？！为什么？！为什么这么大的动静，竟然没有侍卫过来看一看？！"

雪笑了："笨蛋，那丑婆娘下了结界，没有人可以察觉到这里。"

"我为什么可以进来？！"如歌觉得很荒唐。

雪的眼神又是古怪。

一阵剧痛袭上雪的全身，他张口"哇——"的一声吐出血来，森森的寒血在地上溅了一滩。

暗夜绝桀桀笑道："银雪啊，想不到有人会巴巴跑过来为你陪葬！本座就发一回慈悲，将你们葬在一起好了！"

屋子漆黑得像噩梦一般。

如歌脸色苍白。

她的眼睛愤怒如火炬："是谁说，救了师兄你不会有事？"

雪拭干唇角的血，笑吟吟道：

"我骗你的嘛。"

"你——"如歌气得浑身颤抖。

雪皱皱鼻子，委屈道："丫头，人家就要死了，你不要生气了好不好？不然，人家死了也会不安心的。"

如歌再也不想看他！

雪笑眯眯："你说好不好呢，就让她把我们葬在一起，我们永远都不要分开，好不好呢？"

怒火燃烧如歌全身，她推开雪，用剑指住暗夜绝：

"不管你是人是魔，说话不要那么嚣张，今天是谁倒下去还不一定！"

暗夜绝一怔，笑得如花枝乱颤，似乎眼泪都要笑出来。

如歌冷冷道："你疯了么？"

暗夜绝目光一冷："你可知道我是谁？"

如歌直视她："不管你是谁，我只知道，我——是——烈——火——山——庄——的——烈——如——歌！"

她仰起修长的脖颈，如君临天下的女王。

雪的目光渐渐悠长。

他倚着墙壁，胸口一阵阵寒痛。

猎猎扬起的红衣，在黑暗中，依旧如烈日下一般鲜艳，一般炫目！

在如歌脸上，稚气渐渐消退，取而代之的是一股倔强的坚强！

她的光芒——

终究没有人可以阻挡！

长剑碎裂在地上！

如歌被黑纱狼狈地卷翻在地，她的长发凌乱地散开，脸上多了一些伤痕。

暗夜绝冷哼："凭你也配口出狂言？！"

如歌站起来，背脊挺得很直："你的本事只是震碎一柄剑吗？！"

她握紧拳头，沉声道："我还有我的拳头！！"

冲天的火焰——

烈烈的火焰——

熊熊地从如歌背后燃起!

她仿佛在烈火中一般,整个人在燃烧!

她的拳头,是烈焰中最炽热的火苗,撕裂开空气,喷涌着酷热之火,扑向暗夜绝的面部!

雪轻笑着倚坐在墙角。

他晶莹的掌心,赫然多了一片薄如蝉翼的冰片。

冰片滴溜溜转着。

折射出七彩的光。

这冰片原本是他用来封印如歌的。

自她一出生。

他就封印了她。

封住她令人窒息的美丽,封住她体内熊熊的火焰。他想让她只做一个平凡的人,不要有太美的容貌和绝世的功力。这样,她或许会更幸福。陪在她身边,过着平凡的日子,也是他最向往的幸福。

可是,她毕竟是烈如歌。

她的命运,即使是他,也无法扭转。

于是他将那冰片取了出来。

纵使取出它耗尽了他最后一分气力。

如火海中涅槃的凤凰!

烈如歌的火焰映亮了整间屋子!

那光亮透过屋顶,隐隐映亮了夜空!

鲜血如流淌的小河,静静地从雪的唇角滑落。

他的笑容仿佛是透明的。

他的身子仿佛也是透明的。

透明得就像冬日里的一片雪花。

暗夜绝倒下。

她的面容好似被烈焰焚烧。

她的呼吸断断续续，如游魂一般。

烈如歌望着自己的拳头。

她不太明白究竟发生了什么，为什么像有一把火在燃烧？！

是她的拳头吗？是她的拳头在暗夜绝脸上留下恶魔一般的烙印？！

她拼命抑制住澎湃紊乱的呼吸。

飞扬的红衣渐渐静止。

像一阵黑烟，一个黑影电光般闪进来。

抱起蜷缩在地上的暗夜绝，似乎望了一眼墙角的雪。

然后消失了。

地上的断剑也消失了。

*** ***

屋里很安静。

没有灯火。

却很明亮。

雪轻轻笑着，他的笑容雪花一般美丽，他的身子晶莹光灿，万千道光芒自他体内射出，璀璨光亮得似雪地上的阳光。

如歌蹲下来，古怪地打量他：

"喂，你怎样了？"

雪笑一笑："我要死了啊。"

如歌咬住嘴唇。

雪可爱地笑："我美丽极了，对不对？你瞧，我非要再惊心动魄地美一次，才肯死去。这样，你才会记住我美丽的模样。"

"你知道你会死，对不对？"

"对呀。"

如歌轻轻吸一口气："从认识你，你骗了我很多次。"

"对呀。"雪对她笑。

"我讨厌你。"

如歌忽然大吼道："我讨厌你！我讨厌你！我讨厌你！你知不知道？！！"泪水如崩溃的洪水，冲下她的面颊！

雪把脑袋靠在墙上，一边轻轻咳着血，一边轻轻地笑：

"多好。那么我死了，你就不会伤心了。"

如歌猛地抓住他的胳膊："不！我会伤心！"她屏息望住他，"你看，我会很伤心很伤心，那——你不要死了，好不好？"

她像一个小女孩儿，眼巴巴地瞅着他。

雪古怪地问："你爱我吗？"

如歌的手指骤然捏紧。

雪眼巴巴瞅着她，央求道："你有一点点爱我吗？"

泪水落在如歌的手背上。

她以为那泪水是自己的，但等她将泪水眨去，才发现手背上的泪珠是雪的。

雪的泪水那样忧伤。

"丫头，我爱你。你知道吗？我爱你。"雪的笑容在泪光中闪耀，"我骗过你很多很多，可是，这次我没有骗你。我爱你。"

如歌的嘴唇已然咬出血来。

"你可以只爱我一点点吗？只要一点点就好。"

雪哀求她。

如歌的心痛成一片。

她闭上眼睛："如果我爱你，你可以不要死吗？"

雪温柔地用手指将她的泪拭去，用舌尖尝一尝，笑道："你的泪有幸福的滋味。"

"回答我！如果我爱你，你可以不要死吗？！"

如歌吼道。

雪微微一怔："啊，不可以。"

"为什么？！你不是仙人吗？！仙人也会死的吗？！"

"仙人不会死。"

如歌惊喜地轻呼。

雪苦笑："可是，若是我沉睡一百年。对你而言，跟死有什么区别呢？"

如歌僵住。

她的身子慢慢冰冷。

鲜血不再流淌。

雪的体内好像已经不再有鲜血。

他透明得像是一根手指头就可以穿过去。

他的笑容空灵如雪花。

金灿灿的万千光华……

穿透他的身体……

如歌怔怔地说："如果喜欢你，而你又要死去。那不如从没有喜欢过你。"

"残忍的丫头！"

雪咬牙切齿。

如歌轻轻地将透明的他抱在怀中，轻声道："我答应你，如果你不死，我就会很努力很努力地去爱你。"

她的怀抱那样温暖……

雪轻轻笑了：

"会不会，你很努力很努力，却依然无法爱我呢？"

如歌又怔了怔：

"不知道。但是，你如果死了，我要努力都没有了目标。"

然后是沉默。

雪像是睡着了，在如歌的怀里，安静得像个孩子。

他的脑袋枕着她的胳膊。

他的分量极轻，她抱着他，就如抱着一团光芒。

光芒一点一点自她臂弯散去。

雪愈来愈透明。

他绝美的面容已有些看不大清楚。

雪呢喃着在她怀里动了动。

"丫头，不要忘记我。"

如歌的泪水"哗"地落下来。

她抱紧了他。

***　　***

第二天，当太阳升起。
如歌的怀中只剩下一件如雪的白衣。

TO BE CONTINUED 待续……